LA FÊTE
FÉROCE

Le funeste destin des Baudelaire

par LEMONY SNICKET

traduit par Rose-Marie Vassallo

Neuvième volume

LA FÊTE FÉROCE

꙳

Catalogage avant publication de la Bibliothèque nationale du Canada

Snicket, Lemony

La fête féroce

(Le funeste destin des Baudelaire ; 9e)
Traduction de : The Carnivorous Carnival.
Pour les jeunes de 8 ans et plus.

ISBN 2-7625-2396-6

I. Helquist, Brett. II. Vassallo, Rose-Marie. III. Titre. IV. Collection: Snicket, Lemony. Funeste destin des Baudelaire ; 9e.

PZ23.S59985Fe 2006   j813'.54   C2005-942353-6

The Carnivorous Carnival
Copyright du texte © 2004 Lemony Snicket
Copyright des illustrations © 2004 Brett Helquist
Publié par HarperCollins Publishers Inc.

Version française
© Éditions Nathan 2004
Pour le Canada
© Les éditions Héritage inc. 2006
Tous droits réservés

Infographie et mise en pages : Jean-Marc Gélineau
Révision : Ginette Bonneau

Dépôts légaux : 1er trimestre 2006
Bibliothèque nationale du Québec
Bibliothèque nationale du Canada

ISBN : 2-7625-2396-6   Imprimé au Canada

10 9 8 7 6 5 4 3 2 1

LES ÉDITIONS HÉRITAGE INC.
300, rue Arran, Saint-Lambert (Québec) J4R 1K5
Téléphone : (514) 875-0327
Télécopieur : (450) 672-5448
Courriel : information@editionsheritage.com

꙳

Pour Beatrice

Notre amour m'a brisé le cœur ;
Il a brisé net le tien.

CHAPITRE

I

La journée de travail achevée – mon capuchon de stylo remis, mon cahier camouflé, mon canot coulé, invisible –, j'aime passer la soirée avec les rares amis qui me restent, ceux qui sont encore de ce monde.

Parfois nous discutons littérature. Parfois nous discutons de ces gens qui aimeraient bien nous éliminer, et de nos maigres chances de leur échapper. Parfois encore nous discutons calamités, et presque toujours la conversation dévie sur cette question : quelle est la pire situation ?

Pour certains, c'est le mauvais quart d'heure ; calamiteux à coup sûr, surtout si c'est également le dernier. Pour d'autres, c'est la gueule du loup, surtout s'il a mauvaise haleine. D'autres encore disent : le bord du gouffre, et il est vrai que je préfère le bord de mer.

Mais pour moi, le pire, c'est le fond du gouffre. Parce que, pour toucher ce fond-là, il faut avoir connu le bord, si bien qu'on a triple dose d'horreur : un, l'horrible appréhension de tomber dans le vide ; deux, l'horrible sensation de tomber dans le vide ; trois, l'horrible certitude d'être tombé dans le vide, sans parler du fait qu'on est au fond d'un trou et que rien ne garantit qu'on pourra en ressortir.

Le bord du gouffre, pour les enfants Baudelaire, était une situation familière. Hélas ! dorénavant, c'était le fond du gouffre qui allait leur devenir familier. Avant la dernière page du présent épisode, je me verrai obligé de faire appel à ces mots, le fond du gouffre, trois fois encore – sans tenir compte des trois fois où je viens de les employer. Trois fois au cours de ce récit lugubre, nos héros vont se retrouver acculés, cernés d'obstacles et de dangers, sans grand espoir d'en réchapper. Pour cette raison, si j'étais vous, je refermerais ce livre séance tenante, de peur de me retrouver le moral à zéro, voire au fond du gouffre (et cette fois-ci non plus ne compte pas).

Violette, Klaus et Prunille étaient au fond du gouffre – ou, plus exactement, au fond du coffre d'une longue auto noire, en compagnie de chiffons douteux et autres objets peu plaisants.

À moins d'être un sac de sport, et donc sans grandes exigences de confort, vous préférez sans doute voyager sur une banquette rembourrée, avec un bon dossier contre lequel vous caler pour contempler le paysage ou piquer un petit somme, douillettement maintenu par votre ceinture de sécurité. Malheureusement, les trois enfants n'avaient ni banquette ni dossier, et ils étaient moulus de courbatures après plusieurs heures d'un confort à envier les sardines en boîte. Et ils n'avaient pas davantage de paysage à contempler, ne disposant, pour toute ouverture, que d'une douzaine de trous minuscules – apparemment des impacts de balle, souvenir de quelque anicroche sur laquelle je n'ai pas eu le cœur d'enquêter. Enfin, pour ce qui est de piquer un somme, ceinture de sécurité ou pas, il n'en était guère question ; il aurait fallu oublier qui d'autre voyageait à bord, et cesser de s'interroger sur la destination finale du voyage.

Le conducteur de l'auto noire était un certain comte Olaf, fripouille notoire dotée d'un unique sourcil et d'une rapacité sans nom. Il avait surgi dans la vie des trois enfants juste après la disparition de leurs parents dans un tragique incendie. Il avait même été leur premier tuteur, mais ils avaient vite compris que seul leur immense héritage intéressait ce triste sire. Avec une détermination sans faille – expression signifiant ici : « resurgissant toujours et partout » –, Olaf les pourchassait depuis lors, et il échafaudait les pires machinations pour faire main basse sur leur fortune. Jusqu'alors, il avait échoué, malgré le soutien de sa chère et tendre, une certaine Esmé d'Eschemizerre, fripouille moins notoire mais plus élégante, pour l'heure assise à ses côtés, et malgré la complicité active d'un assortiment d'infâmes personnages, dont un chauve au nez surdimensionné, deux dames toujours poudrées de blanc et un brigand équipé de crochets à la place des mains. Ces quatre-là se tassaient sur la banquette arrière et, par-ci, par-là, les enfants captaient des bribes de leur conversation par-dessus le vacarme du véhicule.

On serait tenté de penser, à voir pareils compagnons de voyage, que les enfants Baudelaire avaient des goûts bizarres pour n'avoir pas choisi plutôt de prendre l'autobus ou le train. Mais s'ils avaient pris place dans ce coffre, c'était pour fuir un danger plus menaçant encore qu'une bande de scélérats. Ils n'avaient guère eu le temps de faire les difficiles – ce qui ne les empêchait pas de se ronger les sangs. Derrière les petits trous, le jour s'était teinté d'abricot, puis de mauve. La route s'était creusée d'ornières. Les trois enfants, dévorés d'angoisse, se demandaient où ils allaient se retrouver et ce qui les attendait là-bas.

— On n'est pas bientôt arrivés ?

Une voix venait de rompre un long silence. L'homme aux crochets, semblait-il.

— Je l'ai déjà dit cent fois, gronda le comte Olaf :

je ne veux pas entendre cette question. On sera là-bas quand on y sera, point à la ligne.

— On ne pourrait pas s'arrêter un peu ? piaula l'une des dames poudrées. Je viens de voir un panneau : Aire de repos à six...

— S'arrêter ? Pas le temps ! trancha Olaf. Si vous avez envie de faire pipi, tant pis. Fallait y songer avant le départ.

— Mais les toilettes étaient en f...

— Moi aussi, coupa le chauve, je serais d'avis qu'on s'offre une halte. On n'a rien avalé depuis midi, j'ai comme un petit creux.

— Une halte ? se récria Esmé. Ici ? En plein arrière-pays ? Il n'y a pas un seul restaurant *in*, dans le coin.

Violette pressa l'épaule de son frère et serra sa petite sœur contre elle en manière de message muet. Oh ! ce n'était pas l'absence de restaurant *in* qui la faisait réagir. Cette obsession de la mode, c'était bon pour Esmé. Non, mais un mot magique venait d'être prononcé, un mot qui avait fait rêver le trio, naguère : arrière-pays...

L'arrière-pays, c'était l'immense plaine aride qui commençait aux abords de la ville et s'étendait à perte de vue, loin, très loin – les enfants ne savaient jusqu'où. Jadis, les parents Baudelaire avaient promis à leurs rejetons de les emmener là-bas, un jour, afin d'y contempler le coucher du soleil, réputé sans égal au monde. Klaus, grand dévoreur de livres, avait lu de fabuleuses descriptions des couchers de soleil sur l'arrière-pays, si fabuleuses que toute la famille n'avait plus rêvé que d'y assister en direct. Violette, inventrice-née, avait même entrepris de bricoler un four solaire, afin que chacun puisse se régaler de brochettes tout en regardant le bleu du soir noyer peu à peu les cactus, tandis que le soleil sombrait derrière les monts Mainmorte, là-bas, sur l'horizon, noirs et couronnés de neige.

À l'époque, les trois enfants avaient été loin d'imaginer qu'un jour ils se rendraient effectivement dans l'arrière-pays, toutefois sans leurs parents et recroquevillés au fond du coffre d'un malfrat.

— Z'êtes sûr que c'est sain, patron, de se balader dans le secteur ? s'inquiéta l'homme aux crochets. Si la police rapplique, ça manque d'endroits où se planquer.

— On pourra toujours se déguiser, fit valoir le chauve. On a tout ce qu'il faut dans le coffre.

— Pas besoin de nous planquer, répondit Olaf, très calme. Ni de nous déguiser, d'ailleurs. Grâce à cette idiote du *Petit pointilleux* – vous savez, cette journaliste à la gomme –, le monde entier me croit mort et enterré.

— Mais oui ! gloussa Esmé. Tu es mort, assassiné par ces petits garnements de Baudelaire ! Plus besoin de nous cacher. Et moi je dis : ça s'arrose !

— Trop tôt, trop tôt, marmonna Olaf. Avant d'arroser ça, il nous reste deux choses à faire. Un, détruire la dernière pièce à conviction qui pourrait nous envoyer derrière les barreaux...

— Le dossier Snicket, traduisit Esmé.

Au fond du coffre, les enfants frémirent. Ce dossier, ils en avaient trouvé une page, à présent précieusement pliée dans la poche de Klaus. Une page, c'était bien peu pour se faire une opinion, mais cette page suggérait fort que le dossier Snicket contenait des renseignements capitaux – notamment au sujet d'un incendie qui aurait laissé un survivant. Les trois enfants s'étaient juré de retrouver ce précieux dossier avant qu'Olaf ne mette la main dessus.

— Ouais, dit l'homme aux crochets, faut retrouver le dossier Snicket. Et le deuxième truc, c'est quoi ?

— Retrouver les Baudelaire, abruti, grogna Olaf. Si on ne les retrouve pas – enfin, au moins un d'eux –, pour piquer leur héritage, j'aurai échafaudé tous mes beaux plans pour rien.

— Pour rien ? s'écria l'une des dames poudrées. Pas d'accord ! Moi, je me suis bien amusée chaque fois, même si ça ne nous a pas rapporté la fortune.

— À votre avis, s'enquit l'homme aux crochets, ces trois lardons, ils sont sortis entiers de la clinique ou pas ?

— Oh ! alors là, dit le comte Olaf, pas d'inquiétude ! Ces trois lardons, comme tu dis, ils ont une veine de pendu, c'est clair. En ce moment même, ils sont vivants et frétillants, fais-moi confiance. Pourtant, ça nous arrangerait bien s'il y en avait un ou deux de rissolés. Pour hériter du magot, il nous suffira d'un.

— J'aimerais que ce soit Prunille, déclara l'homme aux crochets. Jamais autant ri de ma vie que le jour où je l'ai mise en cage. Je recommencerais volontiers.

— J'aimerais autant Violette, dit Olaf. C'est la plus jolie.

— Oh ! moi, grinça Esmé, peu m'importe lequel. J'aimerais savoir où ils sont, c'est tout.

— Mme Lulu saura nous le dire, va, la rassura Olaf. Avec sa boule de cristal, elle nous dira où sont ces trois-là, et où aller chercher le dossier manquant. Elle nous dira tout, il suffit de le lui demander.

— Moi, les boules de cristal et tout ça, franchement, je n'y croyais pas trop, avoua l'une des dames poudrées. Mais maintenant que j'ai vu Mme Lulu nous dire où aller chercher ces trois-là chaque fois qu'on les avait perdus de vue – et sans se tromper une seule fois –, j'ai changé d'avis. La voyance, c'est du sérieux.

— Reste dans ma troupe, lui conseilla Olaf par-dessus son épaule. Des découvertes, tu en feras d'autres... Ah! sentier Malbattu. C'est ici qu'on tourne. On y est presque.

La voiture vira de bord et tout le contenu du coffre vira de bord aussi – le trio Baudelaire comme le bataclan qu'Olaf trimballait partout. Violette dut se retenir d'éternuer parce qu'une fausse barbe lui grattait le nez. Klaus protégea de justesse ses lunettes de la collision avec une boîte à outils. Et Prunille ferma la bouche pour ne pas s'entortiller les quenottes dans un maillot de corps (sale) d'Olaf.

Le sentier Malbattu était plus défoncé encore que la route qu'ils avaient suivie depuis le départ, et la voiture devint si bruyante que les enfants ne saisirent plus un mot, jusqu'au moment où le comte Olaf coupa le moteur et fit crisser le frein à main.

— C'est là ? s'informa l'homme aux crochets.

— 'Videmment que c'est là, triple sot! siffla le comte. Tu ne vois pas le panneau ? Caligari Folies – Attractions, Voyance ?

— Où est Mme Lulu ? demanda le chauve au long nez.

— À ton avis ? répliqua Esmé, et tout le monde s'esclaffa.

Les portières s'ouvrirent en grinçant et la voiture, avec un hoquet, se délesta de ses occupants.

— Je sors le vin du coffre, patron ? proposa le chauve.

Les enfants se figèrent.

— Pas la peine, répondit le comte. Mme Lulu aura tout ce qu'il faut.

Retenant leur souffle, les trois enfants écoutèrent les pas s'éloigner. Enfin il n'y eut plus rien à entendre que le cricri des grillons à travers les trous du coffre. Alors seulement ils reprirent haleine et s'enhardirent à chuchoter.

— Et maintenant ? murmura Violette, se dépêtrant de la fausse barbe. Qu'est-ce qu'on fait ?

— Merrill, répondit Prunille.

Comme bien des fillettes de son âge, la benjamine des Baudelaire s'exprimait dans une langue très spéciale, qui semblait obscure à certains. Mais ses aînés savaient parfaitement ce que signifiait merrill : « Pour commencer, on sort de ce coffre. »

— Oui, approuva Klaus, et presto. Rien ne dit qu'Olaf et sa clique ne vont pas revenir dans deux minutes. Violette, tu peux vite bricoler quelque chose pour nous sortir d'ici ?

— Ça ne devrait pas être sorcier, dit Violette, vu l'attirail qu'il y a là-dedans. (Tout en parlant, elle palpait le système de verrouillage.) Ah ! je vois comment ferme ce coffre ; déjà rencontré ce mécanisme. Pour dégager le crochet, j'ai juste besoin d'un bout de ficelle ou d'un truc de ce genre, du solide. Cherchons à tâtons, ça doit pouvoir se trouver...

— Il y a un machin très mou, très long, entortillé autour de mon bras gauche, dit Klaus en se trémoussant. Même que ça pourrait bien être ce turban dont Olaf s'empaquetait le crâne, vous savez, quand il était déguisé en Gengis, au collège.

— Trop épais, décréta Violette. Il me faut quelque chose d'assez fin pour se glisser entre les deux parties du mécanisme.

— Semjia ! clama Prunille.

— Hé ! Prunille, protesta Klaus, c'est mon lacet de chaussure.

— Ce serait l'idéal, fit observer Violette, mais à n'utiliser qu'en dernier recours. Parce que, s'il faut détaler, on sera bien avancés si tu trébuches à chaque pas... Attendez, je crois que je tiens quelque chose, là, sous la roue de secours.

— C'est quoi ?

— Mystère. Une espèce de cordelette fine, avec un truc rond et plat au bout.

— Un monocle, je parie, diagnostiqua Klaus. Rappelez-vous, ce lorgnon qu'Olaf se calait sur l'œil pour se déguiser en Gunther, commissaire-priseur.

— Mmm, fit Violette, ça m'a tout l'air d'être ça. Eh bien, cette fois, c'est à nous qu'il va servir ! Prunille, tu veux bien te pousser un peu, s'il te plaît, que je voie si mon idée marche ?

En trois contorsions de ver de pomme, Prunille se fit toute petite à l'autre bout du coffre, et Violette glissa la cordelette du lorgnon autour du système de

verrouillage. Le cœur battant, les trois enfants tendirent l'oreille aux crissements de la manœuvre.

Cinq secondes plus tard, il y eut un petit clic !
et l'abattant du coffre se souleva sans hâte avec
un bâillement discret. Les enfants sentirent se ruer
sur eux l'air frais du soir, mais ils se retinrent de
bouger, au cas où le bruit du coffre aurait alerté
quelqu'un.

Mais apparemment, Olaf et sa bande étaient trop
loin pour l'avoir entendu. Il n'y avait pas d'autre son
que le concert vespéral des criquets et les vagues
aboiements d'un canidé au loin.

Les trois enfants se consultèrent du regard,
clignant des yeux dans le crépuscule. Puis Violette et
Klaus, sans un mot, enjambèrent le rebord du coffre
et, à eux deux, ils en extirpèrent leur petite sœur.

Le fabuleux coucher de soleil de l'arrière-pays
venait de prendre fin et tout était baigné d'une belle
lumière bleu sombre, à croire que le comte Olaf les
avait déposés au fond de l'océan. Devant la voiture
se dressait un grand panneau de bois sur lequel
était inscrit en lettres de fantaisie : CALIGARI FOLIES
– ATTRACTIONS, VOYANCE, juste au-dessus d'un lion
décoloré pourchassant un gamin décoloré. Sous le
panneau, une guérite affichait les tarifs d'entrée, à
deux pas d'une cabine téléphonique.

Plus loin se dressait la silhouette dinosaurienne
d'un grand huit, autrement dit d'une variété de

montagnes russes – lesquelles n'ont rien à voir avec un plissement alpin et rien à voir non plus avec le pays des tsars, mais que l'on pourrait définir ainsi : «attraction foraine sur rails, dans laquelle des inconscients prennent place à bord de wagonnets bringuebalants pour parcourir à une allure folle des descentes et des montées à vous décrocher l'estomac et ce, sans raison apparente». Mais il avait beau faire déjà très sombre, il sautait aux yeux que ce grand huit n'avait plus décroché d'estomac depuis des lustres : le lierre et autres plantes grimpantes ligotaient les rails, les piliers, les wagonnets et la machinerie, au point que le tout semblait prêt à s'enfoncer dans le sol.

Au-delà du grand huit s'alignaient des tentes de toile, frémissant au vent du soir comme autant de cubes de gelée de fruits. Chacune avait sa roulotte foraine par-devant – de ces maisonnettes sur roues qui font rêver le nomade en nous – et chaque tente, chaque roulotte se parait de motifs bariolés ; mais à cette heure avancée, les dessins étaient peu reconnaissables, toutes les couleurs se fondant doucement dans le bleu du soir.

Pourtant, les enfants eurent tôt fait de repérer la roulotte de Mme Lulu : un œil énorme était peint dessus – le même, agrandi cent fois, que celui qui ornait la cheville du comte, celui-là même qui hantait leurs vies, qui les harcelait sans trêve, de jour, de nuit, partout où ils allaient – jusqu'au fin fond de l'arrière-pays.

Ils frissonnèrent en silence. Puis Klaus dit à mi-voix :

— Maintenant que nous voilà libres, je suggère de ne pas prendre racine ici. Encore une fois, Olaf et sa bande risquent fort de réapparaître d'un instant à l'autre.

— C'est vrai, murmura Violette, mais où veux-tu aller ? On est dans l'arrière-pays, je te rappelle. D'après l'homme aux crochets, il n'y a pas l'ombre d'une cachette.

— Il faudra pourtant bien en trouver une. Trop risqué de traîner dans un lieu où Face-de-rat est accueilli à bras ouverts.

— Œil ! renchérit Prunille, son petit index pointé vers la roulotte de Mme Lulu.

— Exact, reconnut Violette, mais on ne va tout de même pas repartir à l'aveuglette. D'abord, pour nos recherches, ça ne mène à rien ; ensuite, la dernière fois, ça n'a fait qu'aggraver nos ennuis.

— Peut-être qu'on ferait mieux d'appeler la police, finalement, hasarda Klaus. Au moins, ici, il y a le téléphone...

— Nass ! répliqua Prunille ; autrement dit : « Mais la police nous prend pour des assassins ! »

— Peut-être qu'on devrait essayer de joindre M. Poe, reprit Violette, songeuse. Bon, d'accord, il

n'a pas répondu à notre télégramme, mais qui sait ?
On aura peut-être plus de chance au téléphone.

Les trois enfants se turent, pris de doutes.

M. Poe était vice-président du service Orphelins
à héritage au Comptoir d'escompte Pal-Adsu, l'une
des plus grandes banques de la ville, et il gérait les
affaires Baudelaire depuis le tragique incendie. M. Poe
n'avait rien d'une crapule mais il avait, par mégarde,
placé les enfants au milieu de tant de crapulerie que
c'était presque comme s'il avait agi crapuleusement
lui-même – si bien que les enfants ne tenaient pas
spécialement à reprendre contact avec lui, même si,
pour l'instant, ils ne voyaient d'autre solution.

— Pas grand espoir qu'il nous soit d'un quelconque secours, murmura enfin Violette. Mais bon,
qu'est-ce qu'on risque ?

— Ça, on verra plus tard, conclut Klaus, se diri-
geant d'un pas résolu vers la cabine téléphonique.
Peut-être qu'au moins il va nous permettre de nous
expliquer.

— Pesos, rappela Prunille ; c'est-à-dire : « Oui,
mais pour passer un coup de fil, il faut des sous. »

Klaus plongea les mains dans ses poches.

— Je n'ai rien sur moi. Pas la plus petite pièce.
Tu en as, toi, Violette ?

— Non. Mais on va appeler la téléphoniste, on
verra bien s'il y a moyen de passer un coup de fil
sans payer.

Klaus ouvrit la porte de la cabine, ses sœurs et lui se tassèrent à l'intérieur. Violette décrocha le combiné et fit le zéro pour appeler la téléphoniste. Klaus prit Prunille à son cou afin de lui permettre d'écouter aussi, et tous trois entendirent une voix grésiller:

— Allo? J'écoute!

— Euh, bonsoir, répondit Violette. S'il vous plaît, nous voudrions passer un coup de fil, mon frère, ma sœur et moi.

— Veuillez insérer dans la fente le montant de la communication.

— C'est que... nous ne l'avons pas, avoua Violette. Nous n'avons pas d'argent du tout. Mais c'est une urgence.

Un chuintement s'échappa du combiné; au bout du fil, la téléphoniste poussait un long soupir.

— Quelle est la nature exacte de votre urgence, je vous prie?

Violette se tourna vers ses cadets. Les dernières lueurs bleues du crépuscule se reflétaient sur les lunettes de Klaus et sur les dents de Prunille. À cette heure entre chien et loup, la nature exacte de leur urgence apparaissait si complexe, si touffue, si démesurée que la nuit n'aurait pas suffi à la cerner; et l'aînée des Baudelaire, fiévreusement, cherchait à en faire la synthèse, expression signifiant ici: «résumer la situation de manière à convaincre la téléphoniste d'appeler M. Poe ».

— Voilà, dit-elle. Je m'appelle Violette Baudelaire, et je suis ici avec mon frère Klaus et ma
sœur Prunille. Nos noms vous rappellent peut-être
quelque chose, parce que *Le petit pointilleux* a
récemment publié un article sur nous, dans lequel
on nous appelait Veronica, Klyde et Perrine Baudelaire. On y disait que nous avions assassiné le
comte Omar, mais en réalité, le comte Omar, c'est
le comte Olaf, et en réalité il n'est pas mort. Il a
fait semblant d'être mort en tuant quelqu'un qui
porte le même tatouage que lui, et il a raconté que
c'était nous qui l'avions tué. Et là, en plus, il vient
de faire brûler toute une clinique en essayant de
nous capturer, mais nous avons réussi à nous cacher
dans le coffre de sa voiture juste avant qu'il file avec
ses complices. Et maintenant, nous sommes sortis
du coffre, et nous essayons de joindre M. Poe pour
lui demander de nous aider à retrouver le dossier
Snicket, parce que ce dossier, à notre avis, pourrait
bien contenir des explications sur le vrai sens du
sigle S.N.P.V., et finalement aussi nous indiquer si
l'un de nos parents a survécu à l'incendie. Je sais,
c'est un peu compliqué, comme histoire, et peut-
être un peu difficile à croire, mais nous sommes
seuls au milieu de l'arrière-pays, loin de tout,
complètement perdus et nous ne savons vraiment
plus que faire.

C'était un résumé si triste que Violette, au fil du récit, avait versé une larme ou deux, et elle s'essuya les yeux en attendant la réponse.

Mais le combiné resta muet. Les trois enfants avaient beau tendre l'oreille, il n'en sortait d'autre son que le bourdonnement imperturbable de la ligne téléphonique.

— Allo ? dit à nouveau Violette.

Le téléphone ne répondit pas.

— Allo ? reprit Violette. Allo ? Allo ?

Calme plat.

— Allo ? répéta Violette une fois de plus, aussi fort qu'elle l'osait.

— Je crois qu'on ferait mieux de raccrocher, lui dit Klaus d'un ton égal.

— Mais pourquoi personne ne répond ? chevrota Violette, refoulant ses larmes.

— Va savoir. Simplement, j'ai dans l'idée que cette téléphoniste ne fera rien pour nous.

Violette raccrocha et rouvrit la cabine. Depuis que le soleil avait coulé à pic derrière l'horizon, l'air se rafraîchissait de minute en minute. Elle réprima un frisson.

— Mais qui va faire quelque chose pour nous ? Qui va nous porter secours ?

— Je crois qu'il va falloir nous en charger nous-mêmes, tu sais, murmura Klaus.

— Ephraï, laissa tomber Prunille ; autrement dit :

« Oui mais là, nous sommes au fond du gouffre. »

— Tu peux le dire, approuva Violette. Tout au fond. Au milieu de nulle part, sans cachette en vue, et le restant de l'univers nous prend pour des criminels. Mais que font donc les criminels quand ils sont au milieu de nulle part ?

Un éclat de rire répondit – un éclat de rire lointain, étouffé. Pourtant, dans le silence du soir, il fit tressaillir les enfants. Sans un mot, Prunille pointa du doigt la roulotte de Mme Lulu. Derrière une fenêtre éclairée, des ombres allaient et venaient, et les trois enfants comprirent : Olaf et sa bande étaient là, occupés à rire et à se réjouir pendant que les orphelins frissonnaient dans la nuit tombante.

— Allons voir, chuchota Klaus. Allons voir ce que font les criminels quand ils sont au milieu de nulle part.

CHAPITRE
II

Écouter aux portes – ou écouter aux fenêtres, ou tendre l'oreille à une conversation à laquelle on n'a pas été convié – est une activité qui peut se révéler amusante, voire passionnante, voire salutaire, mais c'est une impolitesse et, comme la plupart des impolitesses, elle risque de vous attirer des ennuis si vous êtes pris en flagrant délit. Les enfants Baudelaire le savaient, bien sûr, de même qu'ils savaient d'expérience comment éviter d'être pris. Par exemple, ils savaient parfaitement avancer sur la pointe des pieds, ils savaient s'accroupir et se faire tout petits sous une fenêtre afin de ne pas être vus. C'est ainsi qu'ils gagnèrent sans bruit la roulotte de Mme Lulu et se tapirent juste au-dessous du rectangle de lumière devant lequel dansaient les ombres. Si vous aviez été là-bas ce soir-là – mais tout me porte à penser que vous n'y étiez pas –, vous n'auriez pas entendu un son lorsqu'ils se mottèrent tous trois au pied de cette roulotte éclairée, dans le but d'épier l'ennemi.

Olaf et sa bande, à l'inverse, menaient délibérément grand tapage.

— Madame Lulu ! mugit le comte Olaf tandis que les enfants se plaquaient contre la roulotte afin de se dissoudre dans l'ombre. Madame Lulu, sers-nous du bon vin ! Rien ne me fait le gosier sec comme d'allumer un incendie et d'échapper à la police.

— Moi, j'aimerais autant du babeurre, glapit Esmé. Dans un gobelet de carton, s'il vous plaît. C'est la dernière boisson *in*.

— Ach ! Cinq verres de bon vin et un gobelet de babeurre, excusez ! Ça vient, ça vient ! répondit une voix de femme.

Elle s'exprimait de façon bizarre, avec un petit accent que les enfants reconnurent d'emblée : c'était le même accent qu'avait le comte Olaf – le même très exactement – lorsqu'il s'était déguisé en Gunther, commissaire-priseur. Les enfants auraient bien aimé risquer un coup d'œil au coin de la fenêtre pour voir à quoi ressemblait cette voyante, mais elle avait tiré ses rideaux.

— Je suis si heureuse de te revoir, mon Olaf, excusez. Bienvenue dans la roulotte de moi. Comment est la vie pour toi, depuis dernière fois ?

— On a trimé comme des bêtes, répondit l'homme aux crochets ; ce qui signifiait en réalité : « On n'a pas arrêté de pourchasser trois malheureux innocents. » Pas faciles à attraper, ces petits sacripants d'orphelins !

— Ne vous tracassez pas pour bambins, excusez, répondit Mme Lulu. Boule de cristal de moi dit : mon Olaf prévaudra.

— Si prévaudra signifie tordra le cou à ces petits chenapans, commenta l'une des dames poudrées, c'est la meilleure nouvelle de la journée.

— Prévaloir signifie « l'emporter », laissa tomber le comte Olaf. Mais, dans le cas présent, c'est synonyme de « tordre le cou ». Au moins à deux de ces fichus Baudelaire. Et quand au juste prévaudrai-je, Lulu, d'après ta boule de cristal ?

— Oh ! très bientôt, excusez. Quels cadeaux m'a rapportés mon Olaf de ses voyages ?

— Euh... réfléchit Olaf. Ah oui ! il y a un très joli collier de perles que je me suis fait remettre par une infirmière de la clinique Heimlich.

— Tu avais dit qu'il serait pour moi ! s'indigna Esmé. Donne plutôt à Lulu un de ces chapeaux-corbeaux que tu as piqués à la Société des n...

— Laisse-moi te dire, Lulu, coupa Olaf, tes dons de voyance m'époustouflent. Jamais je n'aurais imaginé trouver ces trois mouflets dans ce stupide village, mais ta boule de cristal les a vite repérés.

— La magie, c'est la magie, excusez, gloussa Mme Lulu. Encore un peu de vin, mon Olaf ?

— Volontiers. Oh ! et, Lulu, il faut que je te dise : je vais encore faire appel à tes talents.

— Oui, expliqua le chauve, ces petits voyous de Baudelaire nous ont filé entre les pattes une fois de plus. Et le patron compte sur vous pour nous dire où ils sont, là, maintenant.

— Sans oublier, ajouta l'homme aux crochets, qu'on aimerait bien savoir aussi où est passé le dossier Snicket.

— Et si l'un des parents Baudelaire a survécu à l'incendie, compléta Esmé. Les orphelins ont l'air d'y croire, mais ta boule de cristal nous le dira, Lulu. Ce sera plus sûr.

— Moi, je reprendrais bien un peu de vin, susurra l'une des dames poudrées.

— Tant de choses vous demandez, dit Mme Lulu avec son étrange accent. Madame Lulu se souvient, mon Olaf, d'un temps où tu venais seulement pour le plaisir de ma compagnie, excusez.

— L'ennui, c'est que, ces jours-ci, je suis très pris, se hâta de répondre Olaf. Euh, tu ne pourrais pas consulter ta boule, là, tout de suite ?

— Tu connais règles boule de cristal, mon Olaf. La nuit, boule de cristal doit dormir sous tente de voyance, et au matin tu peux poser question unique.

— En ce cas, décida Olaf, je poserai ma première question demain. Et nous resterons ici jusqu'à ce que j'aie reçu toutes les réponses.

— Oh ! mon Olaf, gémit Mme Lulu. Les temps sont durs, très durs, pour Caligari Folies, excusez. N'était pas excellente idée installer parc forain dans arrière-pays. Pas beaucoup de monde vient voir madame Lulu et boule de cristal. Magasin de souvenirs Caligari n'a plus que t-shirts démodés à vendre. Et madame Lulu n'a plus assez de monstres, excusez, dans sa galerie des Monstres. Tu rends visite, mon Olaf, avec troupe entière, tu restes beaucoup jours boire mon vin et dévorer mes petites provisions, alors moi...

— Ce poulet rôti est divin, assura l'homme aux crochets, la bouche pleine.

— Madame Lulu est sans le sou, excusez, poursuivit Mme Lulu. Est dur, mon Olaf, dire bonne aventure pour vous tous quand madame Lulu est si pauvre. Roulotte de moi a fuites dans le toit, et madame Lulu a besoin de sous, excusez, pour réparations.

— Je te l'ai déjà dit, répondit Olaf : une fois que nous aurons empoché la fortune Baudelaire, tu auras tous les sous que tu voudras.

— Tu as déjà dit ça pour fortune Beauxdraps, mon Olaf, et pour fortune Snicket. Mais jamais un sou madame Lulu ne voit. Il faut réfléchir, excusez, à moyen de faire Caligari grrrand succès. Madame Lulu espérait que troupe de mon Olaf donnerait spectacle populaire comme *Le mariage merveilleux*. Beaucoup de gens viendraient voir.

— Le patron ne peut pas remonter sur les planches en ce moment, dit le chauve. Les combines, c'est du boulot à plein temps.

— De plus, intervint Esmé, moi, le théâtre, c'est fini, j'arrête. Plus rien d'autre ne m'intéresse que d'être la petite fiancée d'Olaf.

Il y eut un silence. Les enfants retinrent leur souffle. Plus un son ne provenait de la roulotte, hormis un bruit de mâchoires croquant un os de poulet. Puis un long soupir se fit entendre, suivi de la voix de Lulu, presque un murmure :

— Tu ne m'avais pas dit, mon Olaf, qu'Esmé était fiancée de toi. Peut-être que madame Lulu ne va pas vouloir laisser toi et ta troupe séjourner à Caligari.

— Allons, allons, Lulu, plaida le comte Olaf.

Les enfants serrèrent les dents. Il avait pris ce ton qu'ils lui connaissaient bien, ce ton de miel qu'il savait prendre afin de se faire passer pour un être au grand cœur, bon et juste. Malgré les rideaux tirés, les enfants savaient qu'à l'instant même il gratifiait Mme Lulu d'un grand sourire crocodilien, et que ses petits yeux luisaient comme s'il s'apprêtait à dire une bonne blague.

— À propos, Lulu, t'ai-je jamais dit comment j'ai démarré ma carrière d'acteur ?

— C'est une histoire captivante, annonça l'homme aux crochets.

— Captivante est le mot, reprit Olaf. Verse-moi encore un peu de vin, Lulu, veux-tu ? et je vais te raconter ça. Voilà. Enfant, déjà, j'étais beau comme le jour. À l'école, personne n'avait...

Mais les enfants n'écoutaient plus. Pour avoir vécu chez le comte Olaf, ils connaissaient le personnage. Il était capable de parler de lui-même jusqu'à Pâques ou la Trinité, expression signifiant ici : « jusqu'à ce qu'il ne reste plus une goutte de vin sur la table ». Sans se concerter, en catimini, ils repartirent vers la voiture, de manière à discuter sans risquer d'être entendus.

Dans la nuit tombante, la longue auto noire faisait comme un trou, un gouffre sans fond prêt à les happer.

— Je persiste à croire qu'on ferait mieux de filer, chuchota Klaus. C'est malsain pour nous, par ici. D'un autre côté, où aller ? Il n'y a pas âme qui vive à des kilomètres à la ronde. On risque de mourir de soif, sans parler de se faire attaquer par des bêtes féroces.

Machinalement, Violette jeta un regard circulaire. Mais la seule bête féroce en vue était le lion délavé de l'entrée.

— De toute façon, dit-elle, si on rencontrait âme qui vive, cette bonne âme risquerait de nous reconnaître et d'appeler la police. Par-dessus le marché, Mme Lulu a promis de répondre demain aux questions du comte Olaf.

— Pas à toutes, rectifia Klaus. À une seule, ça nous laisse une certaine marge de manœuvre. Mais ne va pas me dire que tu crois que cette boule de cristal fonctionne. D'après mes lectures, personne n'a jamais pu prouver la réalité d'un seul phénomène de voyance.

— N'empêche que Mme Lulu n'arrête pas d'indiquer à Olaf où nous sommes. Tu l'as entendu comme moi. Il faut bien qu'elle tire son information de quelque part. Et si vraiment elle est capable de dire où se trouve le dossier Snicket ou l'un de nos parents...

Elle se tut. Elle n'avait pas besoin d'achever sa phrase. Pour les trois enfants, la plus infime chance de découvrir si l'un de leurs parents était en vie valait le risque de s'attarder dans les parages.

— Patel, conclut Prunille ; autrement dit : « On reste. »

— Au moins pour cette nuit, concéda Klaus. Mais où nous cacher ?

— Lidarnosc ? hasarda Prunille.

— Trop risqué, affirma Klaus. Tous les gens qui vivent dans ces roulottes travaillent pour Mme Lulu. Tu crois qu'ils accepteraient de nous venir en aide ?

— J'ai une idée, murmura Violette.

Elle gagna l'arrière de la voiture, souleva l'abattant du coffre qui grinça de nouveau, discrètement, et se pencha à l'intérieur.

— Amok ! se récria Prunille ; en d'autres mots : « Oh non, Violette ! Je ne crois pas que ce soit une idée géniale. »

— Moi non plus, dit Klaus. Tôt ou tard, Olaf et ses sbires vont revenir chercher leurs bagages. Ce n'est vraiment pas la bonne cachette.

— Qui parle de se cacher dedans ? dit Violette. On ne va même pas se cacher du tout, vous allez voir. D'ailleurs, est-ce qu'Olaf et sa troupe se cachent, eux ? Non, et pourtant ils passent inaperçus. On va faire comme eux : se déguiser.

— Gabrouha ? s'enquit Prunille.

— Et pourquoi ça ne marcherait pas ? s'obstina Violette. Ces déguisements, Olaf les porte, et il berne tout le monde. Déguisons-nous aussi bien que lui, et nous pourrons rester ici le temps de mener notre enquête.

Klaus était sceptique.

— Hmmm, ça paraît risqué. Mais bon, peut-être pas plus qu'une cachette à la noix. Et on va se déguiser en quoi, au fait ?

— Voyons ces costumes, dit Violette. Ils vont peut-être nous donner des idées.

— Voyons, voyons, façon de parler, marmonna Klaus. Tu as des yeux de chat, toi ? Je dirais plutôt : palpons.

Et les trois enfants farfouillèrent à pleines mains, les yeux écarquillés dans le peu de jour qui restait.

Vous l'avez sans doute constaté : quand on met le nez dans les affaires d'autrui, on fait toujours des découvertes. Par exemple, en fouinant dans le courrier de votre sœur, vous pouvez très bien découvrir qu'elle s'apprête à fuguer avec un archiduc. Ou encore, en inspectant les bagages de votre voisin de train, vous pouvez très bien découvrir qu'il vous photographie en secret depuis six mois. Récemment, j'ai jeté un coup d'œil dans le frigo d'une ennemie à moi, et j'ai découvert qu'elle était végétarienne, ou qu'elle faisait semblant de l'être, ou qu'elle avait hébergé quelques jours un ami végétarien.

Quoi qu'il en soit, en inventoriant le contenu du coffre d'Olaf, les trois enfants firent une moisson de découvertes peu plaisantes. Violette tomba sur un pied de lampe en bronze qu'elle se rappelait fort bien avoir vu chez l'oncle Monty, et elle en déduisit qu'Olaf avait dévalisé leur tuteur, en plus de l'avoir assassiné. Klaus tomba sur un grand sac rayé à l'enseigne de la Boutique In, bourré d'articles textiles tout neufs, et il en déduisit qu'Esmé était toujours aussi obsédée de mode. Prunille tomba sur un collant de femme tout poussiéreux de sciure de bois, et elle en déduisit qu'Olaf n'avait même pas lavé la tenue dont il s'était affublé à La Falotte.

Ils retrouvèrent le béret de marin qu'il s'était vissé sur le crâne pour se déguiser en capitaine Sham ; ils retrouvèrent le rasoir avec lequel il s'était sans doute rasé pour se déguiser en assistant de laboratoire ; ils retrouvèrent les chaussures de sport flambant neuves qu'il avait chaussées pour se faire prof de gym, et les grotesques chaussures montantes du soi-disant détective Dupin.

Mais ils dénichèrent aussi quantité de costumes qui ne leur disaient rien, sinon que le scélérat pouvait se déguiser à l'infini – et donc les suivre toujours et partout, chaque fois sous un nouvel aspect et sans jamais, jamais se faire prendre.

— Bon sang, murmura Violette, avec ce bric-à-brac, on pourrait se déguiser en n'importe quoi ! Regardez, voilà une perruque qui me changerait en clown, en voilà une autre qui me donnerait l'air d'un juge.

— C'est vrai, dit Klaus, brandissant un coffret à tiroirs. Ce truc-là m'a tout l'air d'une trousse de maquillage, avec fausse moustache, faux sourcils, et même des yeux en verre!

— Touitcho! lança Prunille, levant bien haut un voile de tulle blanc, bleuté dans le clair-obscur.

— Merci bien! se récria sa sœur. Je l'ai déjà porté, ce truc-là, je te rappelle. Le jour où Olaf a failli m'épouser. J'aimerais autant ne pas le remettre, si tu permets. En plus, que ferait une mariée au milieu de l'arrière-pays?

— Oh! regardez ce long machin, dit Klaus. On dirait bien une robe de rabbin... Mais pas sûr que Mme Lulu trouverait normal qu'un rabbin vienne lui rendre visite en pleine nuit.

— Guitoun! fit Prunille qui tentait, à l'aide de ses dents, de se glisser dans un pantalon de survêtement; entendant par-là: «Tout ça est vingt fois trop grand pour moi!» Et c'était vérité pure.

— Trop grand, ça oui, dit Klaus en l'aidant à se désentortiller. Pire que ces costumes rayés qu'Esmé nous avait payés, vous vous souvenez? Mais de toute façon, Prunille, à mon avis ça paraîtrait louche, un pantalon de survêtement en train de se balader tout seul à la foire.

— L'ennui, soupira Violette, c'est qu'il n'y a strictement rien à notre taille. Regardez ce manteau. Si je l'enfilais, j'aurais l'air d'un monstre.

— Un monstre! s'écria Klaus. Mais oui!

— Méhouikoi? fit Prunille.

— Vous savez bien : Mme Lulu a dit qu'elle manquait de monstres. Faisons-nous monstrueux, et allons dire à Mme Lulu que nous cherchons du boulot. Peut-être qu'elle nous embauchera pour sa galerie des Monstres ?

Violette n'y croyait guère.

— Et ça fait quoi, un monstre, au juste ?

— Rien. À part être monstrueux. J'ai lu un livre, un jour, sur la vie d'un certain John Merrick, plus connu sous le nom de l'homme-éléphant. Il était né avec un tas de malformations, aussi appelées vices de conformation congénitaux. Bref, il avait l'air tout déformé. Alors des forains l'avaient engagé pour leur galerie des Monstres. Il était sous une tente, dans les foires, et les gens payaient pour le voir.

— Pour voir des défauts de naissance ? dit Violette. Ça paraît cruel, je trouve.

— C'est cruel. Souvent, la foule lui jetait des choses et le traitait de tous les noms. Une galerie des Monstres, à mon avis, ce n'est pas ce qu'il y a de plus noble, comme attraction foraine.

— Je dirais même qu'on devrait y mettre fin ! s'indigna Violette. Mais bon, les manigances d'Olaf aussi, on devrait y mettre fin. Et personne n'essaie seulement de l'épingler.

— Machaon, commenta Prunille avec un petit frisson : « Oui, et si nous lambinons trop, c'est nous qui allons nous faire épingler. »

Elle disait vrai ; ses aînés farfouillèrent de plus belle.

— Ah ! voilà une grande chemise ultrachic, dit Klaus. Avec des fanfreluches au jabot, mais qui sent le propre, au moins. Et idem pour ce grand pantalon avec de la fourrure dans le bas.

— Deux fois trop grand, comme tout le reste, dit Violette. Mais attends... Si on se mettait à deux dedans ?

— À deux ? Dans le même pantalon ? Toi et moi ? (Klaus réfléchit un instant.) Remarque, ça pourrait se faire, en restant habillés par-dessous. On n'aurait qu'à se tenir chacun sur un pied, et replier l'autre jambe à l'intérieur... Hmm, il faudrait avancer en s'appuyant l'un sur l'autre, mais pourquoi pas ? Si on arrive à marcher, ça devrait pouvoir fonctionner.

— Et on ferait la même chose avec la chemise, enchaîna Violette. On pourrait enfiler chacun un bras dans une manche et garder l'autre bras le long du corps.

— Mais il nous resterait deux têtes, rappela Klaus. Et deux têtes sortant de la même chemise, ça nous donnerait l'air...

— L'air d'un monstre à deux têtes ! compléta Violette. Et un monstre à deux têtes a sa place dans une galerie des Monstres.

— Si on veut, reconnut Klaus. Un monstre à

deux têtes, ça peut faire un bon camouflage. Mais il faut nous déguiser la tête, aussi, parce que sinon...

— Pas de problème. La trousse de maquillage est là pour ça. Tu te souviens, maman m'avait appris à faire des fausses cicatrices, du temps où elle jouait dans cette pièce où il y avait un meurtre.

— Et regardez : il y a du talc, aussi, dit Klaus, rouvrant le coffret de maquillage. On va pouvoir se faire des cheveux blancs.

— Vous croyez qu'Olaf s'apercevra qu'il manque des choses dans son coffre ? s'inquiéta soudain Violette.

— Ça m'étonnerait. Tu as vu ce fouillis ? Et des costumes, il en a tant ! Parions qu'il ne les connaît même pas tous. À mon avis, on peut facilement lui piquer un déguisement sans qu'il s'en aperçoive.

— Bibi ? s'enquit Prunille ; autrement dit : « Et moi ? »

— Hum, réfléchit Violette à voix haute. Tous ces costumes sont en taille adulte, mais je suis sûre qu'on va te trouver quelque chose. Tu pourrais peut-être te caser dans une de ces grosses godasses, tu serais un monstre avec seulement une tête et un pied...

— Chlich ! coupa Prunille ; ce qui signifiait à peu près : « Tu plaisantes ? Je suis bien trop grosse pour rentrer dans une chaussure ! »

— C'est vrai, reconnut Klaus. Disparaître dans une chaussure, c'était bon quand tu étais petite.

Il plongea la main dans le coffre et en sortit quelque chose d'assez court et de très poilu, à croire qu'il venait d'attraper un raton laveur.

— Et ça, c'est quoi ? dit-il, palpant la chose. Une fausse barbe, on dirait bien. Vu le format, elle devrait convenir pour un déguisement de petite taille. Voyons voir.

— Oui, dit Violette, mais surtout, voyons vite.

Les trois enfants virent et virent vite. Cinq minutes plus tard, ils s'étaient changés en êtres entièrement nouveaux.

Bien évidemment, dans leurs jeunes vies, ils s'étaient déjà déguisés. Pas plus tard que le matin même, Klaus et Prunille avaient enfilé des blouses blanches pour voler au secours de Violette, et tous trois avaient le souvenir de joyeuses séances de déguisements dans la demeure familiale, du vivant de leurs parents. Mais ces fois-là, c'était pour rire. Cette fois-ci, c'était différent. Et enfiler des tenues appartenant à l'ennemi aggravait encore les choses. Oui, cette fois, ils se sentaient presque comme le comte Olaf et sa bande, tandis qu'en silence et en hâte ils effaçaient méthodiquement toute trace de leur identité réelle.

Tant bien que mal, dans la pénombre, Violette sélectionna un crayon à sourcils un peu clair et se mit en devoir de barder de cicatrices le visage de son frère. L'opération était indolore, bien sûr, et pourtant Violette avait l'impression de briser la promesse faite à leurs parents, jadis, de protéger ses cadets contre les accidents. De son côté, Klaus aida Prunille à s'emmailloter dans la fausse barbe, mais lorsqu'il ne vit plus, sous cette boule de poils, que des yeux brillants et de petites dents tranchantes, il eut le sentiment de l'avoir livrée en pâture à quelque bête féroce, pas bien grosse mais vorace. Et lorsque Prunille aida ses aînés à boutonner sur eux la grande chemise à jabot, elle les sentit rapetisser à vue d'œil.

Enfin, les trois enfants s'inspectèrent mutuellement, et ils eurent l'impression de n'être plus du tout le trio Baudelaire, mais deux parfaits inconnus – l'un à deux têtes grisonnantes, l'autre couvert d'un pelage épais –, deux créatures insolites égarées là, dans la nuit.

— À mon avis, nous sommes méconnaissables, dit Klaus, tordant le cou vers son aînée. C'est peut-être parce que j'ai enlevé mes lunettes, mais j'ai l'impression que nous ne nous ressemblons plus du tout.

— Tu verras assez clair, au moins, sans tes lunettes ? s'inquiéta Violette.

— En clignant des yeux, ça va, dit Klaus en clignant des yeux. Bon, je ne pourrai pas lire, bien sûr. Mais je tâcherai de ne pas me cogner partout. D'ailleurs, je n'irai jamais loin sans toi. Tu comprends, avec mes lunettes, Olaf risquerait de me reconnaître.

— Tu as raison, acquiesça Violette. Moi, je ne mettrai pas mon ruban dans mes cheveux.

— Oh ! et on ferait bien de déguiser nos voix, aussi, s'avisa Klaus. Je vais prendre ma voix la plus aiguë, d'accord ? Et si tu essayais de prendre ta voix la plus grave ?

— Bonne idée, répondit Violette d'une voix presque caverneuse. Et toi, Prunille, tu devrais te contenter de grogner, je pense.

— Grr, fit Prunille.

— Parfait ! On jurerait un loup, assura Violette de sa voix de baryton. On dira à Mme Lulu que tu es un bébé mi-humain, mi-loup.

— Moitié humain, moitié loup ? dit Klaus de sa voix flûtée. Tu parles d'une vie ! Mais être né avec deux têtes ne doit pas être drôle tous les jours non plus.

— Nous expliquerons à Mme Lulu que notre vie est un enfer, et que nous espérons que tout ira mieux si nous travaillons pour elle. Remarquez, ce ne sera même pas un mensonge, ajouta Violette avec un soupir. Notre vie est bel et bien un enfer, et nous espérons bel et bien que tout aille mieux. Notre vie est si monstrueuse, au fond, que nous voilà presque des monstres sans avoir besoin de faire semblant.

— Ne dis pas ça ! se récria Klaus, puis il se rappela sa nouvelle voix. Ne dis pas ça, répéta-t-il de sa voix de fausset. Nous ne sommes pas des monstres. Nous sommes les enfants Baudelaire, même sous les vieux habits d'Olaf.

— Je sais bien, admit Violette de sa voix de basse. Mais ça embrouille un peu les idées, je trouve, de faire semblant d'être qui on n'est pas.

— Grr, approuva Prunille.

Les trois enfants remirent dans le coffre les déguisements non utilisés, puis ils se dirigèrent en silence vers la roulotte de Mme Lulu.

Marcher à deux dans le même pantalon n'a rien de commode (faites l'essai et vous comprendrez), pas plus qu'il n'est facile d'avancer quand on a du poil plein les yeux. Oui, faire semblant d'être quelqu'un d'autre embrouille toujours un peu les idées, surtout lorsqu'il y a longtemps qu'on n'a pas pu s'offrir le luxe d'être soi-même. Or quand donc, pour la dernière fois, ces trois-là avaient-ils eu cette liberté d'être eux-mêmes, de faire ce qui leur tenait le plus à cœur ? Il semblait à Violette n'avoir rien inventé depuis une éternité, du moins rien inventé en paix, seulement bâclé quelques bricolages en catastrophe. Klaus ne se souvenait même plus du dernier livre dévoré pour le plaisir ; tout ce qu'il avait lu récemment, c'était en diagonale, à la recherche d'information vitale. Et Prunille s'était beaucoup servie de ses dents depuis quelque temps, mais toujours dans l'urgence, jamais pour le plaisir de mordre.

En tout cas, chaque pas branlant qui les rapprochait de la roulotte de Mme Lulu semblait éloigner les orphelins des trois enfants qu'ils étaient. Et Violette avait dit vrai : se lancer dans une carrière de monstre vous embrouillait les idées. La preuve ? Lorsque Prunille, de son petit poing, frappa à la porte et que Mme Lulu répondit : « Qui va là ? », les jeunes Baudelaire, pour la première fois de leur vie, ne surent trop que répondre.

— Des monstres, articula enfin Violette de sa voix déguisée. Nous sommes troi... je veux dire, deux monstres et nous cherchons un emploi.

La porte s'entrouvrit et les enfants virent enfin à quoi ressemblait cette Mme Lulu.

Vêtue d'une longue robe chatoyante qui changeait de teinte au moindre mouvement, elle était coiffée d'un turban ressemblant fort à celui qu'Olaf avait porté au collège Prufrock. Le regard noir et pénétrant sous des sourcils de femme fatale, elle inspectait les arrivants de la tête aux pieds.

Derrière elle, autour d'une table, le comte Olaf et sa clique dévisageaient les enfants avec la même avidité. Et, comme si ces sept paires d'yeux braqués sur eux ne suffisaient pas, un œil de plus les observait fixement, un œil de verre au bout d'une chaîne, au cou de Mme Lulu. Un œil en tout point identique à celui qui ornait la roulotte, identique à l'œil tatoué sur la cheville du comte Olaf – l'œil qui suivait les orphelins en tout lieu, l'œil qui les entraînait toujours plus profond au cœur de l'énigme de leur vie.

— Entrez, je vous prie, excusez, dit Mme Lulu avec son étrange accent.

Les deux faux monstres entrèrent. Aussi monstrueusement qu'ils le purent, ils s'avancèrent dans la roulotte – plus près encore de tous ces yeux vissés sur eux, plus loin encore des enfants heureux qu'ils avaient été.

CHAPITRE
III

Sauf peut-être se mordre la joue trois fois de suite ou apprendre qu'un proche vous a vendu à vos pires ennemis, il est peu d'occasions, dans la vie, aussi pénibles qu'un entretien d'embauche. Rien ne vous met les nerfs à l'épreuve comme de devoir réciter devant quelqu'un tout ce que vous savez faire, en espérant que ce quelqu'un voudra bien vous payer pour le faire. Je n'oublierai jamais, pour ma part, cet entretien d'embauche particulièrement éprouvant, au cours duquel il me fallut non seulement affirmer que j'étais capable de :

a) transpercer d'une flèche une olive non dénoyautée à dix mètres de distance ;

b) retenir trois pages de poésie d'affilée ; et

c) détecter si une fondue au fromage contenait ou non du poison sans même y tremper la langue ; mais encore, ce qui est plus délicat, faire la démonstration pratique de mes capacités a, b, c.

D'ordinaire, dans un entretien d'embauche, la meilleure des stratégies est l'honnêteté. Après tout, que risque-t-on, au pire – à part ne pas décrocher l'emploi et donc passer le restant de ses jours à vivre d'herbes et de racines, quelque part au fond des bois ? Mais pour les orphelins Baudelaire, la situation était plus grave. Impossible de se montrer honnêtes, puisqu'ils faisaient semblant d'être qui ils n'étaient pas. Et le pire qu'ils encouraient était bien le pire du pire : être reconnus par la bande d'Olaf et passer le restant de leurs jours de façon si abominable qu'ils aimaient mieux ne pas y songer.

— Assoyez, je prie vous, excusez, dit Mme Lulu, désignant la table ronde autour de laquelle Olaf et sa bande avaient pris place. Assoyez et Lulu va vous interroger.

Violette et Klaus, tant bien que mal, se posèrent à deux sur une chaise et Prunille se hissa sur une autre, tous trois épiés par sept paires d'yeux plus un œil de verre. Le gros de la troupe avait les coudes sur la table, et c'était à qui mangerait le plus salement, hormis Esmé qui sirotait son babeurre le petit doigt en l'air.

Le comte Olaf se renversa contre le dossier de sa chaise et considéra les enfants très, très attentivement.

— Je me demande bien pourquoi, dit-il, songeur, mais vous me rappelez quelque chose.

— Peut-être tu as vu les monstres déjà, mon Olaf, suggéra Lulu. Comment se nomment les monstres ?

— Je m'appelle Beverly, répondit Violette de sa grosse voix, toute surprise d'inventer un nom aussi promptement. Et ma deuxième tête s'appelle Elliot.

Olaf tendit son bras maigre pour une poignée de main, et les deux enfants eurent un instant de panique : lequel des deux avait le bras droit du monstre ?

— Enchanté, dit le comte Olaf. Ça ne doit pas être tous les jours facile, dites donc, la vie à deux têtes.

— Oh non ! répondit Klaus de sa voix haut perchée. Rien que pour trouver des vêtements, tenez. Vous n'imaginez pas comme c'est dur.

— Précisément, intervint Esmé, j'étais en train d'admirer votre chemise. Elle est merveilleusement *in*.

— Être monstre n'interdit pas de suivre la mode, fit remarquer Violette.

— Et pour manger ? s'informa le comte, les yeux luisants. Pas trop de problèmes, pour manger ?

— Euh, bredouilla Klaus. Je... enfin, nous...
enfin, je...

— On va bien voir ! marmotta Olaf.

Dans le plat devant lui, il prit un épi de maïs
ruisselant de beurre et le tendit aux enfants. Ses
hommes ricanèrent d'avance.

— Montre-nous ça, un peu ! Allez, vas-y,
monstre à deux têtes ! Mange, qu'on voie comment
tu t'y prends.

— Oui, approuva Mme Lulu. C'est meilleure
façon de voir si galerie des Monstres est pour toi.
Mange maïs, monstre, mange !

Violette et Klaus échangèrent un regard en coin,
puis chacun tendit une main pour saisir un bout
de l'épi et le porter à sa bouche. Violette voulut
y planter les dents, mais le mouvement fit glisser
l'épi des mains de Klaus. L'épi tomba sur la table et
l'assistance se tordit de rire.

— C'est fou ! s'étouffait l'une des dames
poudrées. Même pas fichu de manger proprement.
Sacré monstre, va !

— Encore ! ordonna le comte avec un sourire
mauvais. Reprends cet épi, monstre, et mange.

Les enfants reprirent l'épi et le portèrent de
nouveau à leurs bouches. Klaus cligna des yeux,
prêt à y planter les dents ; mais lorsque Violette,
croyant l'aider, voulut le rapprocher de lui, Klaus
reçut le bout de l'épi dans l'œil et une fois de plus

toute la tablée – Prunille exceptée – rugit de rire sans pitié.

— Tu es monstre trop drôle ! hoqueta à son tour Mme Lulu. Ou vous êtes monstres trop drôles, je ne sais comment dire, excusez.

Elle riait si fort qu'elle en pleurait et, lors-qu'elle s'essuya les yeux, l'un de ses sourcils de femme fatale laissa une petite traînée, lui faisant un soupçon d'œil au beurre noir. Et elle gloussa, joyeuse :

— Allons, encore un coup, monstre Beverly-et-Elliot !

— Impayable ! pouffa l'homme aux crochets. Moi, jusqu'ici, les mal-bâtis, j'avais toujours trouvé ça un peu triste. Maintenant, je vois qu'ils sont surtout à se rouler par terre !

Violette et Klaus l'auraient volontiers prié de croquer un épi de maïs, lui aussi, pour montrer comment il s'y prenait. Mais un entretien d'embauche se prête assez mal à la discussion, ils le savaient, et ils tinrent leur langue. Ils se concentrèrent plutôt sur leur épi et, à force d'essais malheureux, ils commen-cèrent à prendre le tour de main, expression signi-fiant ici : « découvrir comment deux personnes empa-quetées dans la même chemise peuvent croquer le même épi de maïs en même temps ».

Pourtant la tâche restait délicate. L'épi dégouli-nait de beurre fondu qui leur enduisait le menton et les mains. Chaque fois que, pour l'un d'eux, il présentait l'angle idéal, il semblait décidé à éborgner l'autre ou au contraire à se dérober. Souvent aussi, il leur échappait des mains, au grand plaisir de l'assistance.

— C'est vingt fois plus drôle que de kidnapper les gens, gloussait le chauve, secoué de rire. Lulu, ce monstre va attirer les foules et ça te coûtera, au bas mot, un épi de maïs par jour!

— Ach! très vrai, excusez, reconnut Mme Lulu, les yeux sur Violette et Klaus. Manger salement toujours gros succès. Le public adore voracité, goinfrerie et tout ça. Beverly-et-Elliot, j'engage toi, ou vous, pour galerie des Monstres.

— Et l'autre? s'enquit Esmé, tamponnant délicatement sa moustache de babeurre. Qu'est-ce que c'est, d'abord? Une écharpe de fourrure à pattes?

— Chabo! dit Prunille à ses aînés. Ce qui signifiait, en gros: «Tout ceci est très humiliant, mais au moins nos déguisements fonctionnent!»

Violette se hâta de déguiser la traduction.

— L'autre, c'est Chabo, le bébé mi-humain, miloup, dit-elle de sa voix de basse. Sa mère était une chasseresse qui... qui est tombée amoureuse d'un beau loup, et vous avez là leur progéniture: une pauvre enfant mi-bébé, mi-loup.

— Je ne savais même pas que ça se pouvait, dit l'homme aux crochets.

— Grr, gronda Prunille.

— Ça pourrait être drôle de la voir croquer du maïs, elle aussi, s'avisa le chauve, et il tendit un épi à la benjamine des Baudelaire. Ici, Chabo ! Au pied ! Viens manger le bon maïs.

Prunille ouvrit grand la bouche mais, lorsque le chauve vit poindre ses dents, il retira sa main vivement.

— Bigre ! C'est qu'elle mordrait, la petite bête !

— Elle est encore à moitié sauvage, reconnut Klaus de sa voix flûtée. D'ailleurs, vous voyez ces cicatrices ? C'est parce qu'on l'a un peu taquinée, Beverly et moi.

— Grr, répéta Prunille.

Et, pour parfaire la démonstration, elle mordit une cuillère à belles dents.

— Chabo fera aussi excellent monstre, décréta Mme Lulu. Les gens raffolent toujours violence, violence et férocité, excusez. Tu es engagée, toi aussi, Chabo.

— Ne la laissez pas s'approcher de moi, en tout cas ! prévint Esmé. Qu'elle n'aille pas déchirer ma jupe.

— Grr ! gronda Prunille.

Mme Lulu se leva.

— Bien. Maintenant venez, les monstres ! Madame Lulu va vous montrer roulotte, excusez, où vous ferez le dormir.

— C'est ça, conclut Olaf. Et nous, pendant ce temps-là, on va boire encore un coup. Félicitations pour tes nouveaux monstres, Lulu ! Je savais que tu aurais de la chance, avec moi dans les parages.

— Tu portes chance à tout le monde, minauda Esmé, et elle lui déposa un baiser sur le nez.

Mme Lulu se renfrogna et ouvrit la porte sur la nuit.

— Suivez-moi, monstres, je prie vous. Vous allez vivre, excusez, dans roulotte de monstres. Vous partagerez avec autres, Bretzella, Féval et Otto, tous monstres. Chaque jour sera spectacle à galerie des Monstres, excusez. Beverly-et-Elliot, vous ferez le croquer d'épi de maïs, je prie vous. Chabo, tu attaqueras public en montrant les dents. Des questions, monstres ?

— Serons-nous payés ? hasarda Klaus.

Il se disait qu'un peu d'argent de poche pourrait se révéler utile, du moins lorsqu'ils auraient fini d'enquêter et souhaiteraient s'éclipser.

La réponse fut sans réplique.

— Payés ? Jamais. Madame Lulu ne donne pas un sou à monstres, excusez. Quand on est monstre, est grande chance si quelqu'un offre emploi. Voyez homme avec crochets place des mains. Il est heureux travailler pour comte Olaf, même si Olaf jamais ne lui donnera sou de fortune Baudelaire.

— Comte Olaf ? s'enquit Violette, comme si elle entendait ce nom pour la première fois. C'était le monsieur distingué avec le long sourcil ?

— Celui-là est Olaf, confirma Mme Lulu. Est brillant homme, excusez, mais veillez ne pas dire à lui n'importe quoi. Madame Lulu dit toujours : « Il faut donner aux gens ce qu'ils désirent. » Alors dites toujours Olaf qu'il est brillant homme.

— Nous n'oublierons pas, promit Klaus.

— Parfait. Maintenant, voici roulotte monstres. Bienvenue, monstres, dans nouveau logis.

Les enfants levèrent les yeux. Sur le devant de la roulotte, le mot monstres s'étalait en lettres aussi hideuses qu'énormes : mal tracées, bâclées, à la fois criardes et délavées à la lueur de la lanterne éclairant l'allée. À côté de la roulotte se dressait une grande tente de guingois, élimée, trouée par endroits, derrière un panneau sur lequel une fillette à trois yeux clamait : Bienvenue à la galerie des Monstres.

D'un pas décidé, Mme Lulu gravit le marchepied de la roulotte, frappa et appela d'une voix forte :

— Ohé, les monstres ! Réveillez-vous, excusez ! Nouveaux monstres arrivés, venez saluer !

— Une petite minute, madame Lulu ! répondit une voix à l'intérieur.

— Pas de petite minute : tout de suite ! C'est moi la patronne, ici, excusez.

La porte s'ouvrit sur un malheureux qui papillotait des paupières comme une chouette qui dort à moitié. Comme une chouette qui dort à moitié, il avait la tête dans les épaules, mais à mieux y regarder, il l'avait bien davantage qu'une chouette qui dort à moitié. Le pauvre diable était bossu, si bossu que son pyjama était fendu en haut du dos pour laisser sortir sa bosse.

— Je le sais que vous êtes la patronne, Ma'ame Lulu, dit-il, sa chandelle à la main. Mais c'est quand même le milieu de la nuit. Vous ne voulez pas que vos monstres soient frais et dispos le matin?

— Madame Lulu n'a rien à faire du repos de ses monstres, excusez. Bossu, à toi d'expliquer nouveaux monstres comment faire spectacle demain. Monstre à deux têtes fera le croquer de maïs, excusez, et petit monstre mi-loup attaquera public.

— Violence et goinfrerie, soupira le bossu. Le public va aimer.

— Bien sûr que public va aimer, dit Lulu. Et Caligari remplira ses caisses.

— Et vous pourrez peut-être nous payer? risqua le bossu.

— Rêve, bossu, rêve. Bonne nuit, monstres, excusez.

— Bonne nuit, madame Lulu, dit Violette – qui aurait nettement mieux aimé être appelée d'un nom

véritable, même entièrement inventé, plutôt que
« monstre » et sur ce ton.

Mais déjà la voyante repartait sans se retourner.
Les enfants la regardèrent se fondre dans la nuit
bleue, puis ils levèrent les yeux vers le bossu, lequel
ne manquait pas de prestance malgré son échine
voûtée.

— Je m'appelle Beverly, dit Violette. Ma
deuxième tête s'appelle Elliot, et voici Chabo, le
bébé mi-loup – mi-louve, plutôt.

— Grr ! gronda Prunille.

— Moi, c'est Féval, répondit le bossu. Enchanté
de vous accueillir, chers collègues. Entrez, que je
vous présente les autres.

De leur pas branlant, Violette et Klaus le suivirent, Prunille sur les talons – Prunille qui s'était
remise à quatre pattes afin de mieux jouer les bébés
mi-loups.

La roulotte n'était pas bien grande, mais à la
lueur de la bougie, les enfants purent constater
qu'elle était propre et bien rangée. Une petite table
de bois occupait le centre, avec un jeu de dominos
au milieu et quatre ou cinq chaises autour. Un
portemanteau occupait un angle, tout couvert de
vêtements, y compris plusieurs manteaux apparemment identiques, à côté d'un grand miroir devant
lequel s'assurer qu'on était présentable. Plus loin,
on devinait un fourneau surmonté d'une batterie de

casseroles, et un régiment de plantes en pot sur un rebord de fenêtre. Violette aurait volontiers ajouté un établi pour bricoler, Klaus aurait aimé cligner des yeux sur un rayonnage bourré de livres, Prunille regrettait l'absence d'un plateau rempli de carottes, de radis et de bâtons de réglisse, mais pour le reste, leur nouveau gîte semblait plutôt accueillant.

À première vue, autre chose manquait : des lits ou du moins des couchettes. Mais tout au fond de la pièce étaient suspendus trois hamacs – de ces bandes de toile tendues entre deux cocotiers comme on voit sur les publicités, dans lesquelles des créatures de rêve se prélassent d'un air alangui. À vrai dire, ces trois hamacs évoquaient la rude vie des matelots plutôt que les îles paradisiaques, mais apparemment on y dormait bien : dans les deux qui étaient occupés, rien n'avait bougé d'un pouce.

Féval se dirigea vers le premier et le secoua sans rudesse.

— Otto ? Otto, debout ! On a de nouveaux collègues, il faut que tu m'aides à installer deux hamacs de plus.

Une tête renfrognée se leva.

— Oh ! la barbe, pourquoi tu me réveilles ? Moi qui rêvais que j'étais normal !

Les trois enfants, les yeux ronds, regardèrent Otto glisser à bas de son hamac. Un monstre, lui ? Mais en quoi ?

De son côté, à leur vue, Otto eut une grimace.

— Fichtre ! dit-il. Vous êtes aussi mal lotis que moi, à ce que je vois.

— Otto ! se fâcha Féval. Tu crois que ce sont des choses qui se disent ? Bon, je te présente Beverly-et-Elliot et Chabo, le bébé mi-loup.

— Mi-loup ? répéta Otto, serrant la main du monstre à deux têtes. Pas dangereux, j'espère ?

— Elle n'aime pas trop qu'on la fasse enrager, dit Violette.

— Oh ! mais moi non plus, je n'aime pas trop qu'on me fasse enrager, avoua Otto, et il baissa le nez. Et pourtant, partout où je vais, les gens chuchotent dans mon dos : « Regardez ! Vous avez vu ? C'est Otto l'ambidextre. »

— Ambidextre ? s'étonna Klaus. Vous voulez dire que vous êtes à la fois droitier et gaucher ?

— Ah ! vous avez entendu parler de moi, je vois. C'est peut-être même pour ça que vous êtes là ? Pour zieuter un monstre capable d'écrire son nom des deux mains ?

— Pas du tout, assura Klaus. J'ai rencontré ce mot dans un livre.

— Je l'aurais parié qu'y en avait, là-dedans ! s'écria Féval. Après tout, Beverly-et-Elliot, tu as deux fois plus de cervelle que nous.

— Et moi je n'en ai qu'une, dit Otto, amer. Une qui se mélange les pinceaux. Monstrueux.

— Ça vaut toujours mieux que d'être bossu, assura Féval. Tu es peut-être monstrueux des mains, mais au moins tu as le dos normal.

— Ça m'avance à quoi, un dos normal, si mes épaules sont rattachées à des mains pas normales ?

— Oh ! Otto, dit une voix de femme, et une silhouette filiforme se coula à bas du troisième hamac pour rejoindre le petit groupe. Otto, tu ne vas pas recommencer ! D'accord, c'est déprimant d'être un monstre, mais essaie de voir le bon côté. Tu es mieux loti que moi. (Elle tourna vers les enfants une petite tête frisée, toute timide.) Je m'appelle Bretzella et soyez gentils : si vous devez rire de moi, faites-le tout de suite et qu'on n'en parle plus.

Les enfants ouvrirent de grands yeux sur elle, puis ils échangèrent un regard perplexe.

— Renuff ! fit Prunille : « Vous non plus, je ne vois pas ce que vous avez de monstrueux. D'ailleurs, si je le voyais, je ne rirais pas de vous parce que ce serait méchant. »

— Renuff ? dit Bretzella. Un rire de loup, j'imagine ? Bon, mais je n'en veux pas à Chabo. Une contorsionniste, ça fait rire.

— Contorsionniste ? s'étonna Violette.

— Oui, dit Bretzella. Je peux me tordre dans toutes les positions ou presque. Regardez.

Et Bretzella, avec un soupir, se lança dans ce qui semblait être son numéro. Elle commença par s'enrouler en arrière, si souplement que sa tête de mouton réapparut entre ses jambes, puis elle se roula en boule sur le plancher. Après quoi, posant une main sur le sol, elle se hissa sur un bras, du bout des doigts, tout en se déroulant jusqu'à former une mince colonne verticale, les jambes torsadées en spirale. Enfin, avec un saut de carpe, elle se tint sur la tête un instant, puis elle s'entortilla bras et jambes jusqu'à n'être plus qu'un étrange nœud vivant regardant les enfants d'un air un peu grognon.

— Voyez ? dit-elle. Monstrueux.

— Wouaouh ! fit Prunille.

— Moi je trouve ça époustouflant, dit Violette. Et Chabo aussi.

— C'est gentil à vous, dit Bretzella. N'empêche, j'ai bien honte d'être contorsionniste.

— Mais… si vous avez honte, hésita Klaus, pourquoi toutes ces contorsions ? Pourquoi ne pas bouger normalement ?

— Parce que j'ai mon emploi à la galerie des Monstres, Elliot. Qui paierait pour me voir si je bougeais normalement ?

— Dilemme intéressant, dit Féval.

Violette jeta un regard à son frère, mais Klaus ne pouvait pas lui expliquer qu'un dilemme est un choix ardu, entre deux options aussi horribles l'une que l'autre.

— Nous autres, monstres, enchaîna Féval, notre plus cher désir serait d'être normaux. Mais le désir du public, c'est de voir Bretzella se tordre comme un ver, Beverly-et-Elliot se goinfrer de maïs, Otto écrire son nom des deux mains, Chabo montrer les dents et moi, montrer ma bosse. Mme Lulu dit toujours qu'il faut donner aux gens ce qu'ils désirent, et les gens désirent voir les monstres montrer leurs monstruosités. Par conséquent, c'est notre devoir de les leur montrer, voilà tout. Et maintenant, il se fait tard. Otto, tu veux bien me donner un coup de main avec ces hamacs pour qu'ensuite on dorme un peu ?

— Un coup de main, un coup de main, grommela Otto. Un coup des deux mains, ouais, plutôt. Oh ! j'aimerais tant être droitier ! Ou alors gaucher, mais pas les deux.

— Allons, courage, lui dit gentiment Bretzella. Sait-on jamais ? Peut-être que demain, par miracle, on verra tous notre vœu le plus cher exaucé ?

Le silence se fit, mais tandis que leurs corésidents installaient deux nouveaux hamacs, les enfants se prirent à rêver aux paroles de Bretzella.

Les miracles, c'est comme les boulettes de viande en sauce : nul ne sait de quoi c'est fait, ni d'où ça vient, ni à quelle fréquence c'est censé revenir. Pour certains, le lever du soleil est un miracle – empreint de mystère et souvent très beau ; mais d'autres font observer que c'est une banalité qui a lieu tous les jours et beaucoup trop tôt le matin. Pour certains, le téléphone est un miracle – n'est-il pas magique, après tout, de dialoguer avec quelqu'un qui se trouve à des milliers de kilomètres ? Mais d'autres n'y voient qu'un banal objet fait de plastique, de métal et de circuits électroniques qui ne demandent qu'à tomber en panne. Pour certains, quitter un hôtel en catimini est un miracle, surtout quand le hall d'entrée pullule de policiers armés jusqu'aux dents ; pour d'autres, c'est une banalité qui a lieu tous les jours ou presque, et beaucoup trop tôt le matin. Bref, on peut tout aussi bien estimer qu'en ce bas monde les miracles abondent ou les juger si rares, au contraire, qu'il ne vaut pas la peine d'en parler – selon que l'on démarre la journée en s'émerveillant de l'aube ou en enjambant la fenêtre pour se couler dans une ruelle au bout d'une corde en serviettes nouées.

Mais c'était d'un vrai miracle que rêvaient les enfants Baudelaire ce soir-là, pelotonnés dans leurs hamacs et attendant le sommeil. Un miracle digne de ce nom, plus gros que la plus grosse boulette de viande jamais confectionnée à ce jour.

Dans la roulotte assoupie, les hamacs grinçaient en cadence tandis que Klaus et Violette, dans leur chemise pour deux, cherchaient une position acceptable et que Prunille lissait sa barbe pour l'empêcher de trop gratter. Et, sur ce fond de grincements doux, les trois enfants rêvaient à leur miracle – un miracle si miraculeux qu'ils en avaient presque mal d'y penser. Ce rêve insensé, bien sûr, c'était que l'un de leurs parents soit encore en vie, que l'un d'eux ait échappé aux flammes qui avaient dévoré leur nid. Oui, retrouver vivant père ou mère relevait si fort du miracle qu'ils osaient à peine y songer, et pourtant, en secret, chacun d'eux formulait ce vœu. Bretzella l'avait bien dit : sait-on jamais ? Peut-être qu'au matin un miracle aurait lieu ? Peut-être qu'alors ils verraient leur vœu le plus cher exaucé ?

Les trois enfants, le cœur battant, attendaient le matin. Et si la boule de cristal de Mme Lulu annonçait le miracle espéré ?

Enfin le soleil se leva, comme il le fait tous les jours, beaucoup trop tôt le matin. Les trois enfants avaient dormi peu et espéré beaucoup, et à présent ils regardaient le jour se couler à l'intérieur de la roulotte ; ils écoutaient leurs collègues s'agiter dans leurs hamacs, ils se demandaient si le comte Olaf avait déjà consulté la voyante et s'il avait appris du nouveau. Juste comme ils n'y tenaient plus, ils entendirent un bruit de pas, puis des coups secs à la porte.

— Debout, là-dedans !

C'était l'homme aux crochets.

Mais avant de vous révéler ce qu'il aboya par la suite, je dois réparer un oubli. Un dernier détail rapproche le miracle de la boulette de viande : tous deux peuvent être terriblement trompeurs. Un jour, dans mon assiette, sur un plateau de cafétéria, une boulette de viande anodine s'est révélée contenir un petit appareil photo. Ainsi, les mots qu'entendirent les enfants Baudelaire ce matin-là se révélèrent par la suite – une suite légèrement différée – sans grand rapport avec ce qu'ils avaient paru signifier au premier abord.

— Debout, là-dedans ! répéta l'arrivant, tambourinant contre la porte. Et que ça saute ! Je suis de mauvaise humeur, je vous préviens ; alors un conseil, pas de blagues ! La journée s'annonce chargée. Mme Lulu et le comte Olaf sont partis faire une course urgente ; c'est moi le patron pendant ce temps-là. La boule de cristal a révélé qu'un de ces fichus parents Baudelaire est toujours en vie, et le magasin de souvenirs n'a plus une babiole à vendre ou presque !

CHAPITRE
IV

Quoi ? fit Féval en se frottant les yeux. Qu'est-ce que vous dites ?

— Que le magasin de souvenirs n'a plus une babiole à vendre ! répéta l'homme aux crochets derrière la porte. Mais ça, c'est pas votre problème. Par contre, y a déjà des visiteurs qui arrivent, alors fini la grasse matinée, vous autres ! Je veux vous voir à la galerie dans un quart d'heure, compris ?

— Euh, monsieur, s'il vous plaît ! dit Violette, se souvenant de justesse de se faire la voix grave.

Son frère et elle, non sans peine, glissèrent à bas de leur hamac, pas très agiles dans leur pantalon pour deux. Prunille était déjà au sol, trop estomaquée par ce qu'elle venait d'entendre pour songer à grogner.

— Monsieur, s'il vous plaît! reprit Violette. J'ai mal entendu. Vous avez dit que... que l'un des parents Baudelaire est vivant?

La porte s'entrouvrit, l'homme aux crochets passa la tête dans l'entrebâillement et posa sur les enfants un œil soupçonneux.

— Qu'est-ce que ça peut bien vous faire, les monstres?

— Euh, improvisa Klaus avec fièvre, nous avons suivi l'affaire, vous savez, dans *Le petit pointilleux*. Passionnant. Ces trois jeunes criminels sont des monstres.

— Ça oui, approuva l'homme aux crochets. Et leurs parents étaient censés avoir rôti, mais voilà-t-y pas que Mme Lulu a vu dans sa boule de cristal que l'un d'eux serait encore en vie! Pas le temps de vous expliquer les détails, mais ça veut dire qu'on a du pain sur la planche! Mme Lulu et Olaf sont partis aux aurores pour une mission capitale, et c'est moi qui veille au grain. Alors grouillez-vous un peu, qu'on ouvre la galerie des Monstres!

— Grr, fit Prunille.

— Chabo est déjà prête, traduisit Violette. Et nous en avons pour deux minutes, pas plus.

— Z'avez intérêt, gronda l'homme aux crochets. (Il refermait la porte, mais il s'arrêta net.) Hé ! monstre à deux têtes, tu as une cicatrice à moitié effacée, on dirait.

— Oui, dit Klaus très vite, ça s'efface toujours un peu en guérissant.

— Dommage. Ça fait moins monstre.

Il claqua la porte et s'éloigna.

— Pauvre homme, soupira Bretzella en se glissant comme une couleuvre à bas de son hamac. Il fait peine à voir. Chaque fois qu'il vient ici avec le comte Olaf, je regarde ces crochets et j'en suis toute retournée.

— Il est mieux loti que moi, bâilla Otto, étirant en croix ses bras d'ambidextre. Lui, au moins, il a un crochet plus doué que l'autre. Moi, mes deux bras se valent.

— Tu parles, et les miens ? renchérit Bretzella. Du caoutchouc ! Bon, trêve de pleurnicheries, le public nous attend.

— Ouaip, fit Féval, empoignant sa brosse à dents. Et, comme dit Mme Lulu, il faut donner aux gens ce qu'ils désirent. Et ce que désirent les gens, c'est de nous voir rappliquer sans délai.

— Viens par ici, Chabo, dit Violette, que je t'aide à t'aiguiser les dents.

— Grr, obéit la benjamine.

L'aînée prit la cadette sous le bras et Klaus les suivit au fond de la roulotte pour un petit conciliabule, pendant que leurs collègues s'apprêtaient pour la scène, expression signifiant ici : « se préparaient pour leur journée de monstres professionnels ».

— Vous croyez que c'est vrai ? souffla Klaus. Vous croyez que c'est sûr : un de nos parents est vivant ?

— Hmm, fit Violette. D'un côté, j'ai peine à croire que cette boule de cristal fonctionne. D'un autre côté, apparemment, Mme Lulu a toujours su dire à Olaf où on était. Franchement, je ne sais plus que croire.

— Touall, chuchota Prunille.

— Oui, dit Klaus, c'est la seule solution. Nous glisser sous sa tente et enquêter.

— Vous êtes en train de parler de moi, hein, je parie ? lança Otto depuis l'autre bout de la roulotte. Vous êtes en train de dire : « Quel monstre ! Il se rase d'une main comme de l'autre ! »

— Mais non, Otto, on ne parlait pas de toi, assura Violette. On discutait de l'affaire Baudelaire.

— Jamais entendu parler de ces Baudelaire, déclara Féval, peigne en main. Vous avez bien dit que ce sont des criminels ?

— C'est ce qu'on a lu dans *Le petit pointilleux*, répondit Klaus.

— Oh! moi, le journal, déclara Otto, je ne le lis jamais. Je ne saurais pas de quelle main tourner les pages, de toute façon.

— Et moi, alors? dit Bretzella. Je pourrais le lire pliée en huit et tourner les pages avec la langue, tu crois que c'est mieux?

— Dilemme intéressant, dit Féval, décrochant l'un de ses manteaux rigoureusement identiques. À mon avis, nous sommes tous les cinq plus monstrueux les uns que les autres. Bon, et maintenant, au boulot! Allons faire bonne figure et donner le meilleur de nous-mêmes.

Les enfants suivirent leurs collègues. Devant la galerie des Monstres, l'homme aux crochets attendait en piaffant, une longue lanière à la main.

— Allons, plus vite! Et tâchez de faire bonne figure! Mme Lulu m'a dit que si vous ne donnez pas au public ce qu'il désire, je suis autorisé à user de ma *tagliatelle grande*.

— Talliatellé granddé? fit Bretzella. C'est quoi?

— Une tagliatelle est une nouille italienne longue et plate, expliqua l'homme aux crochets, déroulant le long ruban humide. Et *grande* signifie « grand » en italien. J'ai fait confectionner celle-ci ce matin même par le chef cuisinier de Caligari. Elle est cuite al dente, parfaite.

En démonstration, il fit tournoyer l'objet au-dessus de sa tête à la façon d'un lasso, et les enfants entendirent comme un sifflement de fouet. Cela dit, plutôt qu'à une nouille, la chose faisait songer à un ver de terre géant, visqueux à souhait.

— Si vous tardez à m'obéir, prévint l'homme aux crochets, paf! je vous en flanque un bon coup sur l'échine et vous le sentirez passer.

— N'ayez crainte, monsieur, dit Féval. Nous sommes des professionnels.

— Ravi de l'entendre, glapit l'homme aux crochets, et il suivit sa troupe sous le chapiteau.

De l'intérieur, l'endroit semblait encore plus vaste, sans doute parce que l'œil n'y trouvait pas grand-chose où s'attarder. Il y avait là une petite estrade sur tréteaux, avec une escouade de chaises pliantes par-devant, le tout surmonté d'une banderole qui clamait: Galerie des Monstres, en grandes lettres baveuses. Il y avait aussi une buvette, avec l'une des dames farinées au comptoir. Là tournaient en rond deux pelés, un tondu et quatre ou cinq chevelus désœuvrés, attendant le spectacle.

Mme Lulu avait bien dit que les affaires ne marchaient pas fort, mais les enfants s'étaient attendus à un public moins clairsemé. Ils suivirent leurs collègues sur l'estrade, et l'homme aux crochets se mit à haranguer les sept ou huit spectateurs comme s'il était face à une salle comble.

— Mesdames, mesdemoiselles, messieurs!

Hâtez-vous d'acheter de quoi vous désaltérer, le spectacle va bientôt commencer!

— Vingt dieux! Regardez ces monstres, un peu! s'esclaffa un beau garçon boutonneux. Vous avez vu celui-ci, avec ses crochets à la place des mains?

— Fais pas partie des monstres, grommela l'homme aux crochets. J'encadre le personnel.

— Ah! pardon, dit le beau garçon. Dans ce cas, si vous permettez, payez-vous une bonne paire de mains en cire et plus personne ne s'y trompera.

— On ne fait pas de commentaires sur les handi-capés. Et maintenant, mesdames et messieurs, fris-sonnez, car voici Féval, notre bossu! Voyez cette bosse énorme! N'est-elle pas monstrueuse?

— Ça oui! pouffa le beau garçon, venu dans l'intention de rire de son prochain. Pas aidé, le pauvre.

D'un claquement de tagliatelle, l'homme aux crochets rappela qui était le maître, puis il aboya:

— Féval! Ton manteau!

Le public retint son souffle et Féval gagna le devant de la scène, son manteau sous le bras. Puis il entreprit de l'enfiler.

D'ordinaire, quand on a un petit problème de conformation – un bras plus long que l'autre ou le ventre en avant –, des vêtements habilement retouchés permettent d'escamoter l'imperfection au moins en partie. Pour le manteau de Féval, aucune retouche n'avait été faite, habile ou non. Sur son dos, le manteau commença par faire des plis, puis il se distendit, s'étira et, lorsque le bossu voulut le boutonner, il se déchira à grand bruit. L'infortuné se retrouva moins vêtu après qu'avant.

— Grotesque, hein ? clama l'homme aux crochets. Même pas fichu d'enfiler un manteau ! Mais attendez, mesdames et messieurs ! Vous n'avez encore rien vu. Nous avons mieux !

Avec un sourire diabolique, il s'avança vers une petite table, piqua son crochet droit dans un épi de maïs ruisselant de beurre et le brandit bien haut.

— Voyez ceci, mesdames et messieurs ! Rien de très extraordinaire : une chose que toute personne normalement constituée est capable de manger sans problème. Oui, mais ici vous n'êtes pas à la galerie des Personnes normalement constituées. Vous êtes à la galerie des Monstres Caligari, et nous vous offrons de l'inédit, du jamais vu : le monstre à deux têtes ! Un monstre qui mange si salement que la dégustation d'un épi de maïs en devient un numéro hilarant !

Avec un soupir, Violette et Klaus s'avancèrent à leur tour sur l'estrade.

Ici, je vous fais grâce du pire. Je ne vois pas l'utilité de détailler la suite de ce spectacle navrant. Klaus et Violette, une fois de plus, durent ronger en duo un épi récalcitrant, face à une poignée de spectateurs tordus de rire. Bretzella se contorsionna en huit, en nœud de chèvre, en torsade Louis XV. Otto écrivit son nom des deux mains à la fois. Et cette pauvre Prunille dut montrer les dents d'un air féroce, elle qui se sentait si peu féroce et qui aurait mille fois mieux aimé dire bonjour avec un sourire. Je vous laisse le soin d'imaginer les réactions des spectateurs à chacun de ces numéros. Ils avaient beau n'être qu'une poignée, ils hurlaient de rire plus fort qu'une salle comble, improvisaient des insultes pour les vedettes du spectacle et leur jetaient à la tête des plaisanteries aussi cruelles que débiles. Une dame jugea même bon de lancer sur Otto son gobelet de grenadine, comme si avoir deux mains agiles était passible d'une douche poisseuse.

Tout cela, vous l'imaginez sans peine. Mais il est une chose dont peut-être vous n'avez qu'une vague idée, à moins d'avoir vécu une situation similaire, c'est le sentiment d'humiliation qu'on éprouve en pareil cas. On pourrait penser que se faire humilier, c'est comme monter à vélo ou décoder des messages en morse – qu'avec l'entraînement vient l'aisance. Et, pour ce qui est d'essuyer des railleries, les enfants Baudelaire avaient l'entraînement. Hélas ! cela ne rendait pas l'expérience plus plaisante. Violette se souvenait fort bien d'avoir été traitée de tous les noms par Carmelita Spats, au collège ; s'entendre qualifier de « monstre hideux » n'en était pas moins blessant. Klaus entendait encore Esmé leur rire au nez, boulevard Noir ; il n'en rougissait pas moins de voir le public se tenir les côtes chaque fois que le maïs lui échappait des mains. Et Prunille avait beau ne plus compter les fois où Olaf l'avait traitée de « larve » ou de « vermisseau », elle n'en avait pas moins le cœur gros de s'entendre appeler « petite vermine » ou « erreur de la nature ». Certes, tous trois savaient bien qu'ils n'étaient ni monstre à deux têtes, ni enfant mi-loup. Pourtant, de retour dans la roulotte, le spectacle terminé, ils se sentaient tellement humiliés que c'en était monstrueux.

— Je déteste Caligari Folies, laissa échapper Violette.

Assise à la table ronde, partageant une chaise avec Klaus, elle attendait comme tout le monde le chocolat chaud que mitonnait Féval à la cuisinière. Dans sa contrariété, elle en oubliait presque de déguiser sa voix.

— Je n'aime pas qu'on me regarde comme une bête curieuse, reprit-elle, cette fois de son timbre le plus caverneux. Je n'aime pas qu'on rie de moi. Si les gens trouvent drôle de voir tomber un épi de maïs, ils n'ont qu'à rester chez eux et le faire tomber eux-mêmes.

— Kiwoun ! approuva Prunille, oubliant de grogner.

Elle ajoutait : « Et moi, j'ai failli pleurer quand ce bonhomme boutonneux a dit que j'étais un "loupé de loup" ! »

Par bonheur, seuls ses aînés comprirent.

— Pas grave, dit Klaus à l'intention de ses sœurs. Je ne pense pas qu'on reste ici très long-temps, de toute manière. Le stand de voyance ne reçoit personne, aujourd'hui. Mme Lulu et le comte Olaf sont partis en mission importante.

Il n'avait pas besoin d'ajouter que l'occasion était belle pour tenter de faire parler la boule de cristal de Mme Lulu – si du moins cette boule avait des choses à dire.

— Oui, et alors ? s'informa Bretzella. Quel rapport avec la choucroute, que le stand de Lulu soit fermé ? Vous êtes un monstre à deux têtes, vous deux, pas une diseuse de bonne aventure.

— Et pourquoi vouloir partir d'ici ? ajouta Otto. D'accord, Caligari n'attire pas les foules ces temps-ci, mais quand on est monstre, où aller ?

— Oh ! ce ne sont pas les endroits qui man-quent, dit Violette. Surtout pour toi, Otto. Des tas de gens sont ambidextres, tu sais, dans la vraie vie. Il y a des fleuristes ambidextres, des percep-teurs d'impôts ambidextres, des contrôleurs de trafic aérien ambidextres, sans parler d'une foule d'autres métiers.

— Tu crois ?

— Absolument. Et cela vaut aussi pour les contorsionnistes et les bossus. Tous autant que nous sommes, nous pourrions trouver un emploi ailleurs, et dans lequel personne ne nous traiterait de monstres.

— Ça, pour toi, je demande à voir, déclara Féval depuis la cuisinière. Un monstre à deux têtes, c'est un monstre. Peu importe le métier.

— Et idem pour un ambidextre, dit Otto d'un ton sombre.

— Allons, trêve de gémissements. Après ce petit en-cas, je vous propose une grande partie de dominos, dit Féval, déposant sur la table six tasses de chocolat brûlant. Oui, Beverly-et-Elliot, j'ai pensé que chacune de tes têtes aimerait boire séparément, expliqua-t-il avec un sourire. Surtout que ce chocolat chaud a une petite touche spéciale. Chabo y a ajouté un pincée de cannelle râpée.

— Chabo ? s'étonna Klaus, et Prunille grogna, modeste.

— Chabo, confirma Féval. Au début, j'ai cru à une monstrueuse idée de loup, mais vous allez voir, c'est un régal.

— Génial, Chabo, dit Klaus avec un clin d'œil pour sa petite sœur.

Dire que Prunille, quelques semaines plus tôt, n'était encore qu'un bébé qui circulait à quatre pattes et qu'on pouvait enfourner dans une cage à canari ! Et la voilà qui se mettait à la cuisine créative !

— Oui, renchérit Féval. Chabo, si tu n'étais pas un monstre, tu pourrais devenir un grand cuisinier, plus tard.

— Oh ! mais elle pourra le devenir, assura Violette. Elliot, que dirais-tu de faire trois pas dehors tout en dégustant ce chocolat ?

— Bonne idée, répondit Klaus. Toujours trouvé que le chocolat chaud était meilleur dégusté dehors, et j'aimerais jeter un coup d'œil au magasin de souvenirs.

— Grr, gronda Prunille ; autrement dit : « Je viens aussi. »

Prestement, à quatre pattes, elle rejoignit Violette et Klaus qui avaient quitté leur chaise, un peu gauches.

— N'y passez pas des heures, prévint Bretzella. Nous ne sommes pas censés traîner dehors.

— Juste le temps de boire notre chocolat et on revient, promit Klaus.

— Et n'allez pas vous attirer des ennuis ! dit Otto. Méfiez-vous de cette *tagliatelle grande*.

Les enfants s'apprêtaient à répondre qu'une tagliatelle, fût-elle *gigante*, n'est rien de plus qu'une grande nouille – un peu gluante, certes –, lorsqu'un bruit se fit entendre, autrement inquiétant qu'un sifflement de nouille géante fendant les airs. Même depuis l'intérieur de la roulotte, c'était un bruit reconnaissable entre mille.

— Tiens ! revoilà ce monsieur qui est l'ami de Mme Lulu, annonça Féval. C'est le bruit de sa voiture, en tout cas.

— Écoutez ! dit Bretzella. J'entends autre chose, en plus.

Les enfants tendirent l'oreille. Bretzella disait vrai. Par-dessus le rugissement du moteur, on percevait un autre rugissement, plus rauque et surtout plus rageur que celui d'une machine. Certes, il ne faut pas juger sur le son – pas plus que sur la mine –, les trois enfants le savaient. N'empêche que ce rugissement-là était si profond, si féroce qu'il ne pouvait rien annoncer de bon.

Ici, je dois interrompre mon récit pour passer à un autre – non, ne soupirez pas, il ne fait pas quatre pages et c'est pour votre bien. Ce deuxième récit est fictif, mot qui signifie : « inventé par quelqu'un, un jour », contrairement à l'histoire des orphelins Baudelaire, qui est simplement rapportée – c'est-à-dire rédigée, le plus souvent la nuit, exactement telle qu'elle s'est produite. Ce récit dans le récit s'intitule Histoire de la reine Debbie et de son soupirant, Tony. Le voici.

Histoire de la reine Debbie
et de son soupirant, Tony

Il était une fois une reine fictive nommée Debbie 1re, qui régnait sur un pays entièrement inventé. Dans ce pays fictif planté d'arbres à sucettes, des souris chantantes faisaient toutes les corvées. Il y avait aussi des lions, aussi féroces que fictifs, qui gardaient le palais contre des ennemis fictifs. La reine Debbie avait un soupirant, Tony, qui habitait dans un royaume fictif des environs. Comme ils vivaient à l'écart l'un de l'autre, Debbie et Tony ne se voyaient pas très souvent, mais de temps en temps ils sortaient ensemble pour aller au restaurant ou voir un film, ou encore s'offrir d'autres distractions fictives.

Un jour, Tony fêta son anniversaire. La reine Debbie, très prise par les affaires royales, ne pouvait absolument pas aller le voir pour cette occasion, mais elle lui envoya une jolie carte, ainsi qu'un mainate dans une cage brillante.

La chose à faire, comme chacun sait, quand on vient de recevoir un présent, est d'écrire sur-le-champ un petit mot de remerciement, du moins si l'on est bien élevé. Mais Tony n'était pas particulièrement bien élevé, et il appela Debbie pour récriminer.

— Debbie? Ici Tony. Je viens de recevoir le cadeau que tu m'as envoyé et il ne me plaît pas du tout.

— Ah? J'en suis bien désolée, répondit la reine Debbie, cueillant une sucette sur son arbre favori. J'ai choisi ce mainate tout spécialement pour toi. Quelle sorte de cadeau aurais-tu donc aimé?

— Une poignée de gros diamants, répondit Tony, qui était encore plus cupide que fictif.

— Des diamants? se récria la reine. C'est d'un commun... Alors que le mainate est un oiseau tellement merveilleux! Celui-ci te rendra le cœur gai lorsque tu seras triste. Tu pourras lui apprendre à se percher sur ta main, et même à parler à la perfection.

— Je veux des diamants, dit Tony.

— Mais les diamants, ça voyage mal, répondit la reine. Si je t'envoie des diamants par la poste, ils risquent fort d'être volés, et tu n'auras point de cadeau d'anniversaire.

— Je veux des diamants, s'entêta Tony.

Il pouvait être horripilant quand il s'y mettait.

— J'ai une idée, dit alors la reine avec un sourire en coin. Je vais faire avaler ces diamants à mes lions, puis envoyer les lions à ton palais. Nul n'osera s'attaquer à une bande de lions féroces. Les diamants te parviendront sans dommage.

— D'accord, mais fais vite, répondit Tony. C'est censé être un jour très spécial pour moi.

La reine Debbie n'eut aucune peine à faire vite. Dans son palais, les souris chantantes se chargeaient de toutes les corvées. Quelques minutes lui suffirent donc pour faire avaler à ses lions une poignée de gros diamants, bien camouflés dans des boulettes de thon afin de les rendre appétissants. Puis elle ordonna aux lions de courir au royaume voisin et d'aller livrer son présent.

Tout le restant de la journée, Tony attendit en piaffant sur le pas de sa porte. Pour tuer le temps, il dévora son gros gâteau d'anniversaire et toute la crème glacée à la pistache, puis il fit enrager son mainate. Enfin, dans le soleil couchant, il vit les lions surgir à l'horizon et courut à leur rencontre afin d'empocher son présent.

— Donnez-moi ces diamants, lions stupides! cria Tony, et je n'ai pas besoin de vous raconter la suite, ni de vous révéler la morale de l'histoire : « À lion donné, on ne regarde pas les dents. »

Mais si j'ai tenu à rappeler ce vieux conte, c'est pour souligner autre chose : dans certains cas, l'apparition d'une bande de lions peut être une excellente nouvelle. Surtout dans un récit fictif où les lions sont imaginaires et leur dentition également. Oui, dans certains cas, l'histoire de la reine Debbie en fait foi, un arrivage de lions frais est plutôt une occasion de se réjouir.

Par malheur, l'affaire Baudelaire ne fait pas partie de ces « certains cas ». Elle n'a pas pour cadre un pays d'arbres à sucettes où des souris chantantes se chargent des corvées. L'histoire des orphelins Baudelaire se déroule dans le monde réel, un monde où l'on se fait rire au nez pour peu que l'on soit hors normes, un monde où des enfants peuvent se retrouver seuls dans la vie, seuls à tenter d'élucider un sinistre mystère. Dans ce monde bien trop réel, un arrivage de lions peut signifier que les choses vont encore empirer. Et si lire la suite ne vous dit rien – pas plus que les diamants ne disent quelque chose aux lions, surtout sans enrobage de thon –, libre à vous d'aller voir ailleurs, comme auraient tant aimé le faire Violette, Klaus et Prunille Baudelaire lorsque, sortant de la roulotte, ils virent ce que le comte Olaf avait rapporté pour emplettes.

Roulant deux fois trop vite entre tentes et roulottes, au risque de jouer aux quilles avec les visiteurs, le comte vint se garer devant la galerie des Monstres et coupa le moteur.

Le ronflement grinçant, celui qu'avaient reconnu les enfants, se tut net. Mais le deuxième ronflement, plus rauque et plus rageur, se poursuivit de plus belle. Olaf descendit de voiture, Mme Lulu l'imita, puis, d'un geste triomphal, le comte indiqua la remorque attelée au véhicule. C'était une cage roulante et, à travers les barreaux, les enfants aperçurent ce dont il était si fier.

La cage était bourrée de lions, d'un tel fatras de lions qu'on ne pouvait les compter. Les malheureux n'appréciaient guère de voyager ainsi à l'étroit, et ils manifestaient leur fureur à coups de griffes, à coups de dents et à coups de gueule léonins – également appelés feulements.

Aussitôt accoururent les trois quarts de la bande d'Olaf ainsi qu'une poignée de visiteurs attirés par le brouhaha. Olaf voulut faire une annonce publique, mais les lions couvraient sa voix. Alors, serrant les dents, il tira de sa ceinture un long fouet de cuir et le fit siffler sur les fauves à travers les barreaux. Pas plus que les humains, les animaux n'ont de goût pour le fouet. Pour peu qu'on fouette assez longtemps, ils finissent toujours par filer doux. Au troisième coup, les lions se turent et Olaf put faire sa déclaration.

— Mesdames, mesdemoiselles, messieurs, monstres et gens normaux ! Caligari Folies a l'honneur de vous annoncer l'arrivée d'une troupe de lions féroces, destinés à une attraction inédite – du jamais vu, une première mondiale!

— Sera pas du luxe, grommela un visiteur. Le magasin de souvenirs est minable.

— Ouais, bonne nouvelle, approuva un autre.

— Exccccellente nouvelle ! siffla le comte, et il se tourna vers le trio Baudelaire, ses petits yeux si luisants que les enfants frémirent sous leurs déguisements. Oui, mesdames et messieurs, il va y avoir du mieux, par ici!

Les trois enfants s'entreregardèrent.

Du mieux ? Tout dépendait pour qui.

CHAPITRE
V

Si vous avez un jour éprouvé l'étrange sensation de revivre une situation déjà vécue, comme si la même chose exactement vous était arrivée au moins une fois, alors vous avez fait l'objet d'une « paramnésie », disent les savants, ou du phénomène qu'on nomme, en anglais comme en français, « déjà-vu ». Comme bien des mots français passés dans la langue anglaise, tels ennui, migraine ou sans-culotte, déjà-vu évoque une situation peu plaisante – et il est rarement plaisant, en effet, d'éprouver la sensation d'avoir déjà vu ou entendu ce qu'on est à peu près sûr de n'avoir jamais ni vu, ni entendu. Or pour les orphelins Baudelaire, sur le seuil de la roulotte des monstres, il était assez peu plaisant, en effet, d'entendre bonimenter le comte Olaf et d'éprouver cette étrange sensation de déjà-vu.

— Vous allez voir ! clamait Olaf face à un attroupement qui croissait à vue d'œil, alléché par le tapage. Ces lions vont devenir l'attraction numéro un de Caligari Folies. Comme vous le savez sans doute, pour faire avancer une mule rétive, rien ne vaut la carotte par-devant et le bâton par-derrière. La carotte, c'est la récompense espérée ; le bâton, le châtiment redouté. Eh bien ! les lions sont comme les mules...

— Qu'est-ce que c'est ? demanda Féval qui rejoignait les enfants sur le seuil, suivi d'Otto et Bretzella.

— Déjavu, répondit Prunille, amère.

Ce baratin sur la mule rétive, les enfants l'avaient entendu déjà, au temps où ils habitaient chez le comte. Même la benjamine s'en souvenait parfaitement. À l'époque, Olaf prétendait forcer Violette à l'épouser, plan retors qui, par bonheur, avait échoué à la dernière minute. Et voilà qu'il ressortait ce vieux cliché pour une nouvelle machination, le diable seul savait laquelle ! Cette idée suffisait aux enfants pour avoir l'estomac en révolte.

— Voyez ces lions ? fanfaronnait le comte. Ils m'obéissent au doigt et à l'œil !

Et zouich ! Une fois de plus, il pourfendit l'air de son fouet. Les lions se ratatinèrent dans leur cage, et plusieurs badauds applaudirent.

— Bon, mais si le bâton, c'est le fouet, demanda le chauve, la carotte, c'est quoi ?

— La carotte ? Ha ! s'esclaffa Olaf de son rire mauvais. À ton avis, nigaud, pour des lions ? Tu vois une meilleure récompense qu'un festin ? Les lions sont carnivores, que je sache. Rien ne saurait leur plaire autant que de la bonne viande bien fraîche. Et la maison Caligari leur offrira le meilleur. Oui, nos lions feront bonne chère, s'ils sont sages !

Il se retourna et, d'un geste large, désigna la roulotte des monstres et ses occupants sur les marches. Puis il reprit d'une voix forte :

— Les monstres que vous voyez là mènent des vies déprimantes. Ils se feront un plaisir de donner le meilleur d'eux-mêmes pour la plus grande joie du public.

— Naturellement, dit Bretzella. C'est ce que nous faisons déjà tous les jours.

— Donc, vous trouverez naturel de tenir le premier rôle dans notre nouvelle attraction ! Les lions que vous voyez là ont déjà l'estomac creux, et nous allons les tenir à jeûn afin d'aiguiser leur appétit pour notre grand spectacle. Car à partir de demain, chaque jour, l'un de vous sera tiré au sort et sautera dans la fosse aux lions.

L'assistance marqua un silence, puis applaudit comme un seul homme – à l'exception des trois enfants et de leurs collègues. Eux restaient les bras ballants, pétrifiés.

— Ça, au moins, ce sera du spectacle ! jubila le beau garçon boutonneux. Violence et goinfrerie dans le même numéro!

— Oui ! approuva une dame maigre. Déjà, le repas du monstre à deux têtes, ça valait le déplacement ; le monstre à deux têtes en repas, ça le vaudra deux fois plus.

— J'aimerais que ce soit le bossu qui saute, déclara un grand moustachu. Il est trop comique ! Sans compter que j'aimerais savoir si cette bosse est croustillante ou pas.

— Non, plutôt la contorsionniste ! Je la trouve tordante!

— Rendez-vous ici même demain après-midi ! lança Olaf à la cantonade. Demain après-midi, quinze heures trente, grande première de notre spectacle inédit : le repas des fauves ! Qu'on se le dise!

— En tout cas, moi, demain, je reviens ! conclut la dame maigre. Avec tous mes amis.

Et l'assistance se dispersa, mot qui signifie ici : « fila vider sa bourse au magasin de souvenirs ou se lester la panse de gaufres, de saucisses et de barbe à papa ».

— Moi, j'appelle *Le petit pointilleux*, dit le beau garçon. Ce spectacle d'une audace folle, bousculant toutes les conventions, ça vaudrait un article dans leur rubrique Culture.

Puis l'homme aux crochets se tourna vers le comte.

— Z'aviez raison, patron. Va y avoir du mieux, par ici.

— Certain qu'il avait raison, excusez, intervint Mme Lulu. Il est homme brillant, mon Olaf. Homme courageux, homme généreux. Brillant pour avoir imaginé numéro de lions, excusez. Courageux pour avoir dompté lions. Et généreux pour avoir donné lions à Lulu.

— Il vous les a donnés ? s'enquit une voix aigre. Donnés en cadeau ?

Et les enfants virent Esmé s'avancer d'un pas décidé. Au passage, elle fit crisser ses ongles sur la cage aux lions, et les malheureuses bêtes rétrécirent de terreur.

— Tu as offert des lions à Lulu, dit-elle. Et moi, que m'as-tu rapporté ?

Le comte se gratta le crâne.

— Euh, rien cette fois-ci, reconnut-il, un peu gêné. Mais part à deux pour mon fouet, si tu veux.

Mme Lulu lui colla un gros baiser sur la joue.

— Il m'a offert lions, excusez, parce que j'avais fait voyance merveilleuse.

— Si tu avais vu ça, Esmé ! dit le comte. J'ai suivi Lulu sous sa tente, elle a éteint les lumières et sa boule de cristal s'est mise à bourdonner de son bzz-bzz magique. Puis des éclairs ont flashé au-dessus de nos têtes, Lulu m'a dit de fermer les yeux et de me concentrer fort pendant qu'elle se plongeait dans sa boule de cristal. Là, elle a vu que l'un des parents Baudelaire est toujours de ce monde, et qu'il se cache dans les monts Mainmorte. C'est pour la remercier que je lui ai offert ces lions.

— Ah ? gloussa l'homme aux crochets. Parce que Mme Lulu a besoin d'une carotte ?

— Demain matin, poursuivit le comte, imperturbable, Lulu demandera à sa boule où se trouvent les enfants Baudelaire.

— Et qu'est-ce que tu lui offriras, pour la récompenser ? grinça Esmé.

— Allons, très chère, plaida Olaf, réfléchis un peu. Avec ces lions, Caligari est assuré d'un succès monstre. Alors Mme Lulu pourra nous consacrer plus de temps, et nous fournir toutes indications utiles pour décrocher le magot Baudelaire.

— Ce n'est pas pour critiquer, risqua Féval, mais... il n'y aurait pas moyen d'assurer un succès monstre sans nous jeter aux lions ? Ce détail-là me chagrine un peu, j'avoue.

Le comte leva son sourcil bien haut.

— Vous avez vu le public, quand j'ai annoncé la nouvelle ? Il brûle du désir d'assister à ce spectacle et notre rôle à nous, gens de spectacle, est de donner au public ce qu'il désire. Chacun de nous doit apporter sa petite contribution. Votre contribution à vous, les monstres, consiste pour l'instant à rentrer dans votre roulotte pour y attendre sagement demain. La nôtre consiste à tout préparer – à commencer par creuser la fosse.

— La fosse ? s'étonna l'une des dames poudrées. Pour quoi faire, une fosse ?

— Pour y parquer les lions, quelle question ! Histoire de s'assurer qu'ils dévorent seulement le monstre tiré au sort. Moi, cette fosse, je la verrais bien du côté du grand huit.

— Bonne idée, patron, approuva le chauve.

— Pelles et pioches vous trouverez dans roulotte à outils, dit Lulu. Je vais vous montrer, excusez.

— Qu'on ne compte pas sur moi pour creuser ! prévint Esmé. J'ai les ongles trop fragiles. D'ailleurs, il faut que je parle à Olaf. En privé. C'est urgent.

— Bon, bon, d'accord, se résigna le comte. Allons dans la roulotte d'amis pour avoir la paix.

Ils partirent tous deux d'un côté, Lulu et les hommes d'Olaf de l'autre. Les enfants se retrouvèrent seuls avec leurs corésidants.

— On ferait mieux de rentrer, soupira Bretzella. Et de réfléchir au moyen d'échapper à ces lions.

Féval rentra la tête dans les épaules.

— Si ça ne vous ennuie pas, j'aimerais mieux ne plus parler de ces mignons félins. Faisons plutôt une partie de dominos.

— Euh, dit Violette, nous vous rejoignons dans un instant, ma deuxième tête et moi. Et Chabo aussi, je crois. Nous voudrions d'abord finir ce chocolat chaud.

— Plus si chaud que ça, marmotta Otto, mais prenez le temps de le savourer. Ça pourrait bien être le dernier.

Il suivit ses collègues dans la roulotte et referma la porte à deux mains. Les enfants s'éloignèrent un peu afin de chuchoter entre eux.

— Génial, Prunille, ce petit rien de cannelle dans le chocolat, dit Violette. Dommage que j'aie l'estomac à l'envers.

— Ankémi, répondit Prunille ; signifiant par-là : « Moi aussi. »

— Moi, dit Klaus, j'ai un mauvais goût dans la bouche. Et je ne crois pas que la cannelle suffise à le masquer.

— Il faut qu'on aille enquêter dans la tente de Mme Lulu, poursuivit Violette. Et vite. Le temps est compté.

— Tu y crois, toi, à ces trucs-là ? demanda Klaus, le front plissé. Tu arrives vraiment à croire que Mme Lulu voit des trucs dans sa boule de cristal ?

— Difficile à dire. Ce qui est sûr, c'est que cette histoire d'éclairs et de bourdonnements est louche. Tout ça est à tirer au clair.

— Arenn! compléta Prunille; en d'autres mots: «Avant de finir en amuse-gueule pour lions!»

— Oui mais, Violette, s'entêta Klaus, cette boule de cristal, tu y crois ou pas?

— Je n'en sais rien, répondit Violette exaspérée, autrement dit de sa voix normale. Je ne sais pas si Mme Lulu est une vraie voyante, une voyante qui voit vraiment. Je ne sais pas comment fait Olaf pour nous retrouver toujours et partout. Je ne sais pas où peut bien être le dossier Snicket. Je ne sais pas ce que faisait le tatouage d'Olaf sur la cheville d'un autre. Ni ce que signifie S.N.P.V. Ni pourquoi un souterrain secret menait à notre ancienne maison. Ni si...

— Ni si l'un de nos parents... commença Klaus, mais sa voix s'étrangla.

Ses sœurs se tournèrent vers lui – et c'était malaisé pour Violette, dont le cou sortait du même col de chemise.

Klaus pleurait.

Alors Violette, en silence, cala sa tempe contre celle de son frère et Prunille, déposant sa tasse, lui enlaça les genoux. Un bref instant, les trois enfants restèrent ainsi soudés, sans mot dire.

Le chagrin – forme de tristesse le plus souvent liée à la perte d'un être aimé – est un sentiment des plus traîtres. Il lui arrive de disparaître, parfois pendant très longtemps, pour resurgir sans prévenir au moment où on s'y attend le moins. Par exemple, j'aime à parcourir aux aurores la longue plage de Malamer, parce que c'est la meilleure heure pour glaner de précieux indices sur l'affaire Baudelaire. Tôt le matin, l'endroit est si paisible que la paix se coule en moi, comme si je ne souffrais plus d'avoir perdu à tout jamais la femme que j'aimais. Puis je finis par avoir froid, je me réfugie dans un café où j'ai mes petites habitudes, et il suffit que machinalement je tende la main vers le sucrier pour que mon chagrin me revienne. Alors j'éclate en sanglots si bruyants que les autres clients me prient poliment de « pleurer un peu moins fort s'il vous plaît ».

Dans le cas des enfants Baudelaire, le chagrin était un peu comme un sac très lourd, que chacun d'eux traînait à tour de rôle afin d'éviter de pleurer à trois tout le long du chemin. Mais parfois le sac était vraiment trop lourd. Celui qui le traînait n'en pouvait plus et s'arrêtait. Alors les autres lui rappelaient que ce sac était leur fardeau à tous trois et qu'ils le traîneraient ensemble jusqu'au jour où, arrivés à bon port, ils pourraient le déposer enfin.

— Pardon pour t'avoir aboyé au nez, Klaus, murmura Violette. Mais il y a tant de choses que nous ne savons pas, tu comprends ! C'est difficile d'examiner toutes les questions à la fois.

— Tchiviz, souffla Prunille ; autrement dit : « Moi c'est pareil, tu sais, Klaus : nos parents, j'y pense tout le temps. »

— Oh ! moi aussi, avoua Violette. Et, depuis l'autre jour, je n'arrête pas de me demander si c'est bien vrai que l'un d'eux a échappé au feu.

— Mais si c'était vrai, souffla Klaus avec un hoquet, pourquoi se cacher au diable vauvert ? Pourquoi ne pas nous rechercher ?

— Qu'est-ce qui te prouve qu'il n'essaie pas ? reprit Violette plus bas encore. Chercher n'est pas trouver... Surtout que, depuis un bout de temps, nous faisons tout pour nous cacher. Nous voilà même déguisés.

— Mais pourquoi ne pas contacter M. Poe ? Si l'un des deux était vivant, il l'aurait fait depuis longtemps.

— Nous avons essayé aussi, rappela Violette. Télégramme, téléphone, zéro. Si l'un de nos parents est en vie, il a peut-être fait chou blanc lui aussi.

— Galfuskine, observa Prunille : « Avec des si, on mettrait Paris en bouteille. Allons sous la tente de Mme Lulu pour mener l'enquête. Et presto, avant que les autres ne reviennent ! »

— Tu as raison, dit Violette. On y va.

Elle déposa sa tasse à son tour, Klaus déposa la sienne à côté et le trio, cahin-caha, se mit en marche vers la tente de la voyante, les aînés sur deux jambes pour deux et Prunille sur quatre pattes, un peu empêtrée dans sa barbe.

Ils faisaient de gros efforts pour aller d'un pas naturel, au cas où on les aurait vus, mais nul n'était là pour les voir. Les visiteurs avaient repris la route, pressés d'annoncer au monde le spectacle du lendemain. Les monstres étaient dans leur roulotte, accablés par le destin, expression signifiant ici : « en train de jouer aux dominos au lieu de chercher un moyen d'échapper à leur sort funeste ». Mme Lulu et les hommes d'Olaf s'affairaient à creuser la fosse au pied du grand huit. Le comte Olaf et Esmé se chamaillaient dans la roulotte d'hôtes, à l'autre bout de Caligari Folies – où je me souviens d'avoir séjourné avec mon frère, voilà si longtemps. Et les employés du parc s'occupaient à fermer boutique en rêvant au jour où, peut-être, ils travailleraient dans un endroit moins décrépit. Bref, nul ne vit les trois enfants gagner le stand de la diseuse de bonne (ou de mauvaise) aventure et se figer un instant devant l'entrée.

La tente de Mme Lulu ne se dresse plus, palpitant au vent, au milieu des autres tentes de Caligari Folies. Elle ne se dresse plus nulle part et ses semblables pas davantage. Quiconque irait flâner dans le désert de l'arrière-pays aurait peine à deviner que sur cet emplacement noirci se tenait naguère un parc d'attractions avec roulottes et tentes de toile. Mais même si elle était toujours là, parions que le voyageur ne discernerait rien de spécial dans le motif ornant cette tente. Il reste si peu de gens au courant, de nos jours ! Et les derniers encore en vie sont dans une situation si critique... ou au bord d'une situation si critique, pour avoir tenté de la rendre moins critique !

Mais pour les orphelins Baudelaire – lesquels, souvenez-vous-en, n'étaient arrivés que la veille au soir et n'avaient donc pas vu cette tente au grand jour –, pour les orphelins Baudelaire, le motif surmontant l'entrée était terriblement éloquent et c'est pourquoi, cloués sur place, ils le contemplaient en silence.

À première vue, la tente de Mme Lulu s'ornait d'un œil peint, semblable à celui qui décorait sa roulotte ou à l'œil tatoué que le comte Olaf arborait sur la cheville. Des yeux de ce genre, les trois enfants en avaient vu un peu partout, ces derniers mois : sur des murs, sur des portes et jusque sur des sacs à main, sans parler d'essaims entiers dans leurs cauchemars. Ils avaient beau se demander ce que pouvaient signifier tous ces yeux, ils étaient si las de les voir que l'idée ne leur serait pas venue d'y regarder à deux fois.

Et pourtant... Pourtant il est des choses, dans la vie, qui prennent un aspect différent pour peu qu'on s'accorde le temps de les considérer. Et là, devant les trois enfants en arrêt, le motif qui ornait l'entrée de la tente de Mme Lulu se métamorphosait à vue...

d'œil, jusqu'à n'être plus une image mais plutôt une sorte de signe.

Un signe, mais pour signifier quoi ?

Les trois enfants n'en savaient rien. Tout ce qu'ils savaient, c'était que ce signe, ce signe étrange qui changeait d'aspect à vue d'œil, avait quelque chose à voir avec eux, quelque chose d'important même s'ils ignoraient quoi. À croire que celui qui l'avait tracé là s'était douté qu'ils viendraient un jour, à croire qu'il avait voulu les attirer à l'intérieur.

— À votre avis... commença Klaus, clignant des yeux vers le motif.

— Au début, je n'avais rien remarqué, dit Violette. Mais à force de regarder...

— Vol... fit Prunille.

Sans un mot de plus, les enfants passèrent le nez sous le pan de toile qui fermait l'entrée. Ne voyant personne, ils avancèrent.

Si un espion embusqué là avait épié les faux monstres, il les aurait vus se couler sous la tente de Mme Lulu.

Mais nul n'était là pour épier. Nul n'était là pour voir le rabat de toile retomber sans bruit, ni la tente frissonner tout doux, ni l'œil peint frissonner aussi. Non, nul n'était là pour voir les trois enfants Baudelaire avancer en catimini, persuadés de presque toucher aux réponses tant attendues, à la solution du mystère qui planait sur leurs jeunes vies.

CHAPITRE VI

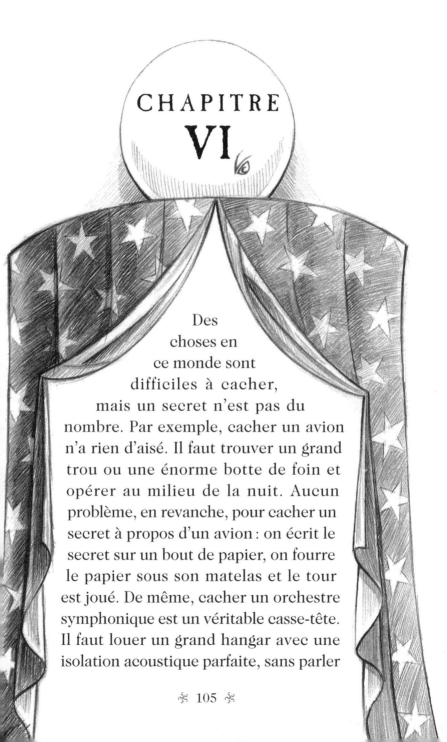

Des
choses en
ce monde sont
difficiles à cacher,
mais un secret n'est pas du
nombre. Par exemple, cacher un avion
n'a rien d'aisé. Il faut trouver un grand
trou ou une énorme botte de foin et
opérer au milieu de la nuit. Aucun
problème, en revanche, pour cacher un
secret à propos d'un avion : on écrit le
secret sur un bout de papier, on fourre
le papier sous son matelas et le tour
est joué. De même, cacher un orchestre
symphonique est un véritable casse-tête.
Il faut louer un grand hangar avec une
isolation acoustique parfaite, sans parler

de réunir des dizaines de sacs de couchage. À l'inverse, rien n'est plus facile que de cacher un secret à propos d'un orchestre symphonique : il suffit de le chuchoter à l'oreille d'un muet. Enfin, se cacher soi-même n'est pas si simple et peut conduire à se blottir au fond d'un coffre de voiture ou à se déguiser en catastrophe, alors que cacher un secret à propos de soi-même est un jeu d'enfant. Il suffit de l'imprimer dans un livre en espérant que le livre tombera en de bonnes mains. Ma chère sœur, si tu lis ces lignes, sache que je suis toujours en vie et que j'essaie présentement de remonter vers le nord dans l'espoir de te retrouver.

Si les enfants Baudelaire avaient été en quête d'un avion dans la tente de Mme Lulu, ils auraient cherché des yeux un bout d'aile – pointant par exemple sous l'immense nappe noire à étoiles d'argent qui juponnait la grande table au centre. S'ils avaient recherché un orchestre, ils auraient tendu l'oreille, à l'affût d'un toussotement ou d'un bruit d'orteils contre un violoncelle, trahissant des monceaux de musiciens derrière les lourdes tentures. Mais les enfants ne recherchaient ni engin volant ni ensemble symphonique. Les enfants cherchaient des secrets, et la tente était si vaste qu'ils ne savaient où regarder. Cette grande armoire, près de l'entrée, contenait-elle des nouvelles récentes des parents Baudelaire ? Cet énorme coffre, placé dans un coin, cachait-il des indices sur le dossier Snicket ? Et cette boule de cristal, au milieu de la table, était-elle prête à révéler ce que signifiait S.N.P.V. ?

À nouveau cloués sur place, les trois enfants furetèrent des yeux, puis s'entreregardèrent, perplexes. Les secrets qu'ils recherchaient pouvaient être cachés n'importe où.

— À votre avis, chuchota Violette, par où faut-il commencer ?

Klaus cligna des yeux.

— Difficile à dire. Et que chercher au juste ?

— J'ai une idée, reprit Violette. Inspirons-nous de ce qu'a dit Olaf, tout à l'heure. Rappelez-vous, il a raconté le numéro de voyance de Mme Lulu.

— D'abord, se souvint Klaus, ils sont entrés dans la tente. Ça, c'est fait. Ensuite, Mme Lulu a éteint les lumières...

D'instinct, tous trois levèrent le nez. Là, ils virent ce qu'ils n'avaient pas vu : le plafond s'ornait de petites ampoules en forme d'étoiles, assorties aux étoiles de la nappe.

— Nétin ! dit Prunille, indiquant deux interrupteurs sur un poteau de la tente.

— Super, Prunille ! s'écria Violette. Tu viens, Klaus, qu'on jette un coup d'œil à ces interrupteurs ?

Clopin-clopant, ils gagnèrent le poteau. Là, Violette fit la grimace. Klaus s'inquiéta :

— Quelque chose qui cloche ?

— Il me faudrait un ruban pour attacher mes cheveux. J'ai du mal à penser, moi, avec ces cheveux tout talqués dans les yeux. Seulement, mon ruban, il est resté à la cli...

Elle se tut net, plongea une main dans sa poche de pantalon et en retira un ruban.

— Tibi, commenta Prunille ; autrement dit : « On dirait le tien. Ou, en tout cas, il lui ressemble comme un frère. »

— Mais c'est le mien, constata Violette, le nez sur l'objet. Olaf a dû me l'enlever avant l'opération et l'oublier dans sa poche.

— Bien content que tu l'aies récupéré, dit Klaus. Je n'aime pas l'idée des pattes sales d'Olaf sur nos affaires. Veux-tu que je t'aide à le nouer ? D'une seule main, tu vas avoir du mal. D'un autre côté, je crois qu'il vaudrait mieux ne pas sortir ton deuxième bras.

— Merci, ça va, je crois que je vais y arriver. Là, voilà. Ouf ! je me sens déjà mieux, les cheveux relevés. Un peu moins monstre et un peu plus Violette Baudelaire. Maintenant, voyons. Deux interrupteurs reliés à des fils qui montent au plafond... L'un d'eux commande les lumières, c'est clair. Mais l'autre – il sert à quoi ?

À nouveau les enfants levèrent le nez, et ils virent autre chose au plafond de la tente. Entre deux étoiles pendait un petit miroir retenu de biais grâce à un crochet. Attachée au crochet, une longue lanière de caoutchouc semblait gouverner tout un système de fils et d'engrenages, l'ensemble relié à son tour à d'autres miroirs formant une sorte de roue...

— Quid ? s'informa Prunille.

— Du diable si je le sais, dit Klaus. Jamais rien vu de pareil, ni en vrai ni dans un bouquin.

— C'est un genre d'invention, diagnostiqua Violette qui étudiait la chose d'un regard d'aigle. (Elle se mit à détailler les différentes parties du disposif, mais plutôt comme si elle se parlait à elle-même.) Ce truc en caoutchouc, là, on dirait bien une courroie de ventilateur, du type utilisé dans un moteur d'automobile afin de refroidir le radia-teur. Mais pourquoi diable... Ah oui ! Je vois. Ça fait bouger les autres miroirs, qui... mais comment ? Hmm... Euh, Klaus, tu vois ce petit trou, là-haut, dans l'angle supérieur de la tente ?

— Sans mes lunettes, non, c'est trop loin.

— Bon, bref, il y a une petite échancrure, là-haut. À ton avis, dans cette direction, on est orientés comment, sur la boussole ?

— Attends que je réfléchisse. Hier, quand on est sortis de voiture, c'était le coucher du soleil.

— Turner, confirma Prunille : « Le fabuleux coucher de soleil de l'arrière-pays. »

— Et la voiture est de ce côté-ci, déclara Klaus.

(Il se tourna brusquement, entraînant son aînée dans le mouvement.) Donc, l'ouest se trouve par ici, et ton petit trou fait face à l'est.

— L'est, répéta Violette avec un sourire. Je l'aurais parié.

— Et alors ?

Violette ne répondit pas. Elle souriait.

Klaus et Prunille sourirent à leur tour. Les fausses cicatrices de leur aînée n'y changeaient rien : ce sourire de Violette, ils le connaissaient bien. C'était celui qu'elle avait lorsqu'elle venait de résoudre une énigme. Ce sourire ne la quittait pas tandis que son regard allait des interrupteurs à l'étrange dispositif, tout là-haut.

— Regardez bien, annonça-t-elle.

Et clic ! elle actionna un interrupteur. Aussitôt les roues dentées se mirent à tourner, la longue courroie de caoutchouc s'ébranla, le cercle de miroirs se changea en ronde bruissante.

— Ça sert à quoi ? demanda Klaus.

— Écoute, répondit Violette.

Les trois enfants se turent. Un discret bourdonnement emplissait toute la tente.

— Le voilà, dit Violette, le bzz-bzz dont parlait le comte Olaf. Et lui croyait que c'était la boule de cristal qui vibrait !

— Ça me semblait louche, aussi, cette magie, admit Klaus.

— Jovis ? demanda Prunille ; autrement dit : « Mais les éclairs ? »

— Tu vois le miroir à l'écart, le plus grand ? Regarde comme il est placé en oblique. C'est pour capter les rayons qui entrent par le petit trou dans la toile.

— Mais il n'y a pas de rayon qui entre, répliqua Klaus.

— Pas à cette heure-ci, dit Violette. Le trou est orienté à l'est et on est en fin d'après-midi. Mais dans la matinée, à l'heure ou Mme Lulu donne ses consultations, les rayons du soleil viennent frapper ce miroir. Et le miroir les renvoie sur les autres miroirs, mis en mouvement par la courroie, et le dispositif règle l'angle d'incidence afin que...

— Attends ! l'arrêta Klaus. Tu vas trop vite, je ne comprends pas tout.

— Pas grave, répondit sa sœur. L'important, pour le moment, c'est qu'Olaf ne comprenne pas du tout. Mme Lulu met son engin en marche, la tente s'emplit de reflets qui flashent, et ce grand idiot croit à de la magie.

— Il n'a donc pas l'idée de lever les yeux ? Il verrait la supercherie !

— Pas quand les lumières sont éteintes, dit Violette.

Joignant le geste à la parole, elle ouvrit le second interrupteur. Les étoiles au plafond s'éteignirent.

La toile de tente était trop épaisse pour laisser filtrer le jour et les enfants se retrouvèrent dans l'obscurité complète. Sans le bourdonnement têtu de la machine au plafond, ils auraient pu se croire de retour dans la cage d'ascenseur du 667, boulevard Noir.

— Ugub, dit Prunille.

— Oui, et inquiétant, admit Klaus. Pas étonnant qu'Olaf ait cru à de la magie.

— Et songez à l'effet produit quand les éclairs papillotent. C'est ce genre de supercheries qui fait que les gens gobent n'importe quoi.

— Donc, Mme Lulu est un imposteur, conclut Klaus. Ou un escroc ; une fausse voyante, en tout cas.

— Ça oui, elle ment, dit Violette. (Elle actionna les deux interrupteurs ; les étoiles au plafond se rallumèrent, le bourdonnement se tut.) Son numéro est entièrement truqué. Combien tu paries que sa boule de cristal est en verre ? Elle fait croire à Olaf qu'elle a un don de voyance, et comme ça il lui paie des turbans, des lions, ce genre de choses.

— Chirom ? demanda Prunille, levant vers ses aînés des yeux ronds ; ce qui signifiait, en gros : « Mais si c'est une fausse voyante, qu'est-ce qui lui fait dire que l'un de nos parents est en vie ? »

Violette et Klaus avalèrent leur salive. Ni l'un ni l'autre n'avait très envie de répondre.

— Elle n'en sait rien, Prunille, murmura enfin Violette. Cette information est aussi fausse que ses éclairs magiques et le reste.

Prunille laissa échapper un petit bruit sous sa barbe et s'agrippa aux jambes de ses aînés, son petit corps frémissant de détresse – car c'était elle, à cet instant, qui traînait le sac de chagrin.

Mais une pensée vint à Klaus :

— Attendez ! Fausse, pas forcément. Mme Lulu est une fausse voyante, ça oui. Mais ce qu'elle dit peut être vrai, aussi. La preuve, elle a toujours dit au comte Olaf où nous trouver, et là-dessus, elle ne s'est jamais trompée.

— Très juste, admit Violette. J'oubliais ce détail.

— Rappelez-vous, dit Klaus, se trémoussant pour plonger son bras captif dans sa vraie poche. Ce qui nous a suggéré que l'un de nos parents était peut-être en vie, c'était ceci.

De sa main libre, il extirpa de son col un petit bout de papier plié que ses sœurs reconnurent d'emblée : la page 13 du dossier Snicket. Une photo y était agrafée ; on y voyait les parents Baudelaire encore jeunes, aux côtés d'un homme que les enfants avaient aperçu une fois, brièvement, et d'un parfait inconnu. Sous la photo s'inscrivait une phrase que Klaus connaissait par cœur, de sorte qu'il n'avait pas besoin de ses lunettes pour la lire.

— « En raison de l'indice examiné p. 9, récitat-il à mi-voix, les experts estiment aujourd'hui que l'incendie pourrait bien avoir laissé un survivant, mais nul ne sait pour l'heure où celui-ci se trouve. » Peut-être que Mme Lulu est au courant ?

— Mais comment ?

— Réfléchissons. D'après le comte Olaf, au moment des éclairs, Mme Lulu lui a dit de fermer les yeux et elle a regardé dans sa boule de cristal...

— Lla ! s'écria Prunille, montrant du doigt la table avec sa grosse boule au milieu.

— Non, Prunille, dit Violette. La boule de cristal ne lui a rien montré du tout. Elle n'est pas magique, tu sais bien.

— Lla ! s'obstina Prunille, et elle marcha droit vers la table.

Ses aînés claudiquèrent à sa suite et comprirent. Par-dessous la nappe noire, un rien de blanc dépassait. S'agenouillant dans leur pantalon pour deux, Violette et Klaus virent de quoi il s'agissait : le coin d'une feuille de papier.

— C'est une chance que tu sois plus près du sol que nous, dit Klaus. Nous n'aurions jamais remarqué ça.

— Mais qu'est-ce que c'est ? dit Violette, faisant glisser le papier hors de sa cachette.

Klaus reprit sa petite gymnastique et, cette fois, ce furent ses lunettes qu'il extirpa de son col.

— Bon sang ! dit-il en les mettant, je me sens mieux comme ça ! «Bien chère Duchesse, lut-il à voix haute, votre bal masqué semble nous promettre une merveilleuse soirée, et c'est avec joie...» (Il parcourut en diagonale le restant de la page.) Bof, juste une réponse à une invitation.

— Mais qu'est-ce que ça faisait sous cette table ?

— Sans importance, de toute manière, dit Klaus, puis il se ravisa. À moins que... à moins que ça en ait pour Mme Lulu ? Assez pour être caché ?

— Voyons si elle cache autre chose là-dessous, décida Violette.

D'une main ferme, elle souleva le jupon de la nappe – et les enfants eurent un choc.

Deux ou trois jours plus tôt, les orphelins Baudelaire avaient découvert à quoi ressemblaient des archives. Ils avaient même aidé un vieil archiviste à classer des papiers. Ils savaient donc que, dans des archives, on range des mètres cubes de documents que des intéressés viennent consulter occasionnellement, à la recherche d'information précieuse. Des archives, leur avait dit le vieil homme, il en existe un peu partout : dans les administrations, les universités, les musées, bref, dans des lieux tranquilles. Il n'avait pas fait mention d'archives sous une table, autre lieu tranquille, et pourtant...

Pourtant, sous sa grande table juponnée de noir,

il était clair que Mme Lulu avait tout un service d'archives : des piles et des piles de papiers entassés, apparemment bourrés d'information précieuse.

— Regardez ça ! s'écria Violette. Des coupures de journaux, des photos, des lettres, des dossiers, des magazines – des documents à la pelle. J'y suis ! Mme Lulu dit aux gens de fermer les yeux pour se concentrer, et elle, pendant ce temps-là, elle farfouille dans ses archives et y trouve les réponses.

— Oui, et on ne l'entend pas fouiller, à cause du bourdonnement de sa machine.

— C'est exactement comme de passer un examen avec toutes les réponses sous le coude.

— Triche ! fit Prunille.

— C'est de la supercherie, bien sûr ! dit Klaus. Mais qui va peut-être nous rendre un fier service. Hé ! vous avez vu ? Un article du *Petit pointilleux* !

— « La Société des noirs protégés de la volière prend part à un nouveau programme d'adoption », lut Violette par-dessus son épaule, et il lut à sa suite :

— « Le Conseil des anciens a annoncé hier que la municipalité décidait de prendre en charge trois enfants à problèmes, les orphelins Baudelaire, dans le cadre du programme d'adoption " Il faut tout un village pour élever un enfant. " »

— Voilà comment Olaf a su où nous étions ! s'écria Violette. Mme Lulu lui a raconté qu'elle avait vu ça dans sa boule de cristal, alors qu'elle l'avait lu dans le journal, tout bonnement!

Klaus farfouilla de plus belle et son regard tomba sur son nom dans une liste.

— Et ça, tiens! «Nouveaux inscrits à l'Institut J. Alfred Prufrock.» Mme Lulu a mis la main là-dessus, allez savoir comment, et elle a refilé l'info à Olaf.

— Nou! clama Prunille, tendant à ses aînés une petite photo pas très nette, au format d'une boîte d'allumettes.

Et sur ce cliché, en effet, on les voyait tous trois assis sur leurs valises, quelque part non loin de l'eau. À l'arrière-plan, on devinait M. Poe en train de héler un taxi. Violette regardait d'un air morose le contenu d'un sac en papier.

— Les pastilles de menthe que M. Poe nous avait données! se souvint-elle. Vous vous rappelez, le jour de notre arrivée chez tante Agrippine? J'avais complètement oublié.

— Mais... qui a pris cette photo? dit Klaus. Qui donc nous épiait ce jour-là?

— Verso, dit Prunille, retournant la photo.

Quelques mots étaient écrits au dos – ou plutôt griffonnés, quasiment illisibles.

Klaus tenta de déchiffrer:

— «Ceci pourrait être... visible? Risible»?

— Ou plutôt «utile», suggéra Violette. «Ceci pourrait être utile.» Et c'est signé d'une initiale – un

R, on dirait. Ou peut-être un K. Mais qui pourrait vouloir d'une photo de nous ?

— Surtout prise en cachette, dit Klaus. Je n'aime pas ça du tout. Ça signifie qu'à tout moment quelqu'un pourrait être en train de nous photographier.

Machinalement, les trois enfants regardèrent autour d'eux, mais aucun objectif photo ne semblait embusqué sous cette tente.

— Hé ! pas d'affolement, déclara Violette. Vous vous souvenez de ce film d'épouvante qu'on avait regardé, un soir que nos parents étaient sortis ? Après ça, au moindre craquement, on était persuadés que des vampires entraient dans la maison.

— N'empêche, soutint Klaus. Il se passe des choses autour de nous et nous n'en savons rien, la preuve...

— Frouss, conclut Prunille, entendant par-là : « Sortons d'ici. J'ai les jambes molles. »

— Moi aussi, avoua Violette. Mais emportons ces documents. On se trouvera bien un endroit tranquille pour les examiner en paix.

— Tout emporter ? se récria Klaus. Attends, c'est complètement impossible. Tu as une brouette, toi ? Une carriole ?

— On va s'en bourrer les poches.

— Mes poches sont déjà bourrées. J'ai tous les restes des carnets Beauxdraps, plus la page 13 du dossier Snicket. Je ne vais sûrement pas m'en délester, et ça me laisse peu de place pour autre chose. Sous cette table, on dirait bien, il y a tous les secrets du monde. Il faudrait choisir, mais lesquels ?

— On pourrait faire un tri rapide, suggéra Violette. Sélectionner toutes les choses sur lesquelles il y a notre nom.

— Pas la meilleure méthode, dit Klaus. Mais bon, faute de mieux... Tu veux bien m'aider à soulever cette nappe, qu'on essaie d'y voir clair, au moins ?

À eux deux, ils tentèrent de retrousser le jupon de la nappe, mais leur costume rendait la manœuvre à peu près aussi aisée que la consommation d'un épi de maïs. Chaque fois qu'ils tiraient d'un côté, l'étoffe leur échappait de l'autre. Comme vous l'avez sans doute remarqué, lorsqu'une nappe glisse, tout ce qui se trouve sur la nappe tend à glisser aussi. La boule de cristal de Mme Lulu glissait joyeusement d'un côté, puis de l'autre, toujours plus près du bord de la table.

— Pépin ! avertit Prunille.

— Prunille a raison, dit Violette. Faisons attention.

— Oui, approuva Klaus. S'il y a une chose que nous ne voulons pas, c'est bien...

Il n'eut pas le temps de préciser quelle était cette chose qu'ils ne voulaient pas. Avec un tchac ! et un cling-clingueding!, sa phrase s'acheva d'elle-même.

Une vérité fâcheuse, dans la vie, est que la façon dont les choses se passent – ou dont elles ne se passent pas – n'a rien à voir, mais vraiment rien, avec ce que nous voudrions et ce que nous ne voudrions pas.

Par exemple, vous pouvez vouloir devenir un écrivain bien tranquille, le genre d'auteur qui écrit chez lui dans le silence et le calme, et puis crac ! des événements font de vous un auteur qui écrit dans la fièvre, la plupart du temps chez les autres, parfois même à leur insu. Autre exemple, vous pouvez fort bien vouloir épouser quelqu'un que vous aimez profondément, et puis crac ! des événements font que plus jamais vous ne reverrez ce quelqu'un. Ou encore, vous pouvez vouloir obtenir une information capitale, et puis crac ! des événements vous empêchent d'obtenir cette information avant longtemps. Enfin, vous pouvez vouloir – et même vouloir intensément – qu'une boule de cristal ne tombe pas d'une table, ou alors, si elle tombe de cette table, qu'elle ne se fracasse pas dans sa chute, ou alors, si elle se fracasse, qu'au moins elle le fasse sans bruit, sans attirer l'attention de personne, et puis crac ! Car la triste réalité est que la réalité est triste : ce que vous voudriez ou ne voudriez pas ne change jamais rien à rien.

Bref, les catastrophes ne vous demandent jamais votre avis avant de s'abattre sur vous. Les trois enfants n'auraient pas voulu voir le rabat de la tente se soulever brusquement ; ils n'auraient pas voulu voir Mme Lulu entrer d'un pas ferme. Pourtant, dans l'après-midi finissant, tous ces événements qu'ils n'auraient pas voulus étaient en train de se produire en cascade.

CHAPITRE
VII

Qu'est-ce que vous faites ici, vous autres, excusez? rugit Mme Lulu en courroux.

Et elle fondit sur eux à grands pas, ses yeux noirs luisant d'un éclat plus dur que l'œil de verre à son cou.

— Hein? Que font les monstres dans tente de voyance, excusez, et que font les monstres sous table, excusez, et je vous prie de répondre instant même, excusez, ou vous allez le regretter très, très fort, je vous prie!

Les enfants levèrent les yeux vers la diseuse de bonne aventure et une chose étrange se produisit.

Loin de trembler d'effroi, loin de hurler de terreur, loin de se blottir les uns contre les autres, pétrifiés, les trois enfants firent front calmement, expression signifiant ici : « n'eurent pas peur le moins du monde et restèrent où ils étaient, le menton haut, face à l'adversaire ». À présent qu'ils savaient que Mme Lulu, pour toute magie, s'aidait d'un engin au plafond et d'un service d'archives sous sa table, ils ne craignaient plus ses grands airs. Tout son mystère s'était dissipé, elle n'était plus qu'une femme ordinaire avec un étrange accent et un très mauvais caractère – une femme qui détenait quelque part de l'information cruciale pour eux.

Et plus elle tempêtait, moins les enfants éprouvaient de crainte. Curieusement, c'était de la colère qui leur venait à présent.

— Non mais quel culot, excusez, entrer sans permission de madame Lulu ! C'est moi la patronne, ici, excusez ! La patronne de tout Caligari, et vous devez m'obéir chaque seconde de votre monstrueuse vie ! Excusez, je n'ai jamais vu monstres aussi ingrats ! Oh ! mais vous allez payer cher, excusez!

C'est alors qu'elle avisa les éclats de verre au sol, et sa fureur redoubla.

— Vous êtes briseurs de boule de cristal ! hurlait-elle, un long doigt pointé vers le trio Baudelaire. Boule de cristal inestimable, excusez ! Unique au monde et avec pouvoirs magiques !

— Skrocri! lança Prunille de sa petite voix aiguë.

— Cette boule de cristal n'avait rien de magique, se permit de traduire Violette. C'était du verre, tout bêtement. Et vous n'êtes pas plus voyante que moi! Nous savons comment fonctionne votre machine à éclairs et nous avons trouvé d'où vous tirez votre savoir!

— Oui, tout ça, c'est de la supercherie! conclut Klaus, désignant la tente entière. C'est vous qui devriez avoir honte!

— Excu... balbutia Mme Lulu, et elle se tut net.

Et brusquement, ses yeux rivés sur les enfants se firent immenses. Elle s'assit sur une chaise au milieu des éclats de verre et s'enfouit le visage dans les mains.

— Oh! mais justement oui, j'ai honte, j'ai bien grand honte, murmura-t-elle absolument sans accent.

Et, tirant sur son turban, elle se décoiffa d'un coup sec, libérant de longs cheveux blonds qui retombèrent en cascade sur ses joues barbouillées de larmes.

— Oui! j'ai terriblement honte, répéta-t-elle, et ses épaules s'arrondirent.

Elle sanglotait.

Les enfants échangèrent un regard muet, puis leurs yeux revinrent sur l'étrange personne secouée de sanglots devant eux.

En général, quand on est bonne pâte, on a du mal à rester furieux face à quelqu'un qui sanglote, aussi est-ce une excellente idée que d'éclater en sanglots quand une bonne pâte vous houspille. Saisis, les enfants Baudelaire regardaient Mme Lulu pleurer, et malgré eux ils avaient un peu le cœur gros pour elle. Pourtant, ils auraient bien voulu se cramponner à leur colère.

— Madame Lulu, dit enfin Violette d'un ton ferme, quoique pas aussi ferme qu'elle l'eût souhaité. Madame Lulu, pourqu...

— Oh! se récria Mme Lulu, ne m'appelez pas comme ça!

D'une main résolue, elle tira sur son œil en pendentif. La cordelette céda et Mme Lulu jeta l'œil au sol, où il vola en éclats. Et elle sanglota de plus belle.

— Mon vrai nom, c'est Olivia, articula-t-elle entre deux hoquets. Je ne suis pas madame Lulu et je ne suis pas voyante.

— Mais dans ce cas, lui dit Klaus, pourquoi faire semblant? Pourquoi vous déguiser? Pourquoi rendre service au comte Olaf?

— J'essaie de rendre service à tout le monde, répondit Olivia d'un ton désolé. C'est ma devise, vous le savez bien : « Il faut donner aux gens ce qu'ils désirent. » C'est pour ça que je suis ici. Je me fais passer pour voyante et je dis aux gens ce qu'ils veulent entendre. Si le comte Olaf ou ses hommes me demandent où sont les orphelins Baudelaire, je le leur dis. Si Jacques Snicket vient me voir pour me demander si son frère est en vie, je lui réponds.

Les enfants furent pris de vertige. Tant de questions leur venaient à l'esprit en même temps ! Par laquelle commencer ?

— Mais d'où viennent les réponses ? demanda Violette, désignant du menton le dessous de la table. D'où viennent tous ces renseignements ?

— Oh ! de bibliothèques, surtout, répondit Olivia, se tamponnant les yeux d'un coin de son châle. Pour faire croire aux gens qu'on a un don de voyance, il faut trouver le moyen de répondre à leurs questions. Or, toute question – ou quasi – a sa réponse écrite quelque part. Tout l'art est de savoir la trouver. Il m'en a fallu, du temps, pour me constituer ces archives ! Et encore, elles sont loin d'être complètes. Parfois, on me pose des questions dont j'ignore absolument la réponse. Dans ce cas, je suis bien obligée d'inventer.

— Quand vous avez dit à Olaf que l'un de nos parents était en vie, demanda Klaus sans réfléchir, c'était une invention ou une information vérifiée ?

Olivia leva les sourcils.

— Mais jamais le comte Olaf ne m'a interrogé sur vos par... Hé ! mais vous avez changé de voix, les monstres ! Beverly, tu as un ruban dans les cheveux, et ta deuxième tête porte des lunettes. Qu'est-ce q...

Les trois enfants se figèrent, pris de court. Captivés par les révélations d'Olivia, ils avaient oublié de jouer les monstres ! Mais peut-être se déguiser n'était-il plus nécessaire, finalement ? Ce qu'ils souhaitaient, tous trois, c'était des réponses honnêtes. Pour obtenir des réponses honnêtes, ne vaut-il pas mieux commencer par se montrer honnête soi-même ?

En silence, les trois enfants se défirent de leurs accoutrements. Violette et Klaus déboutonnèrent leur chemise à jabot – et chacun trouva divin de dégourdir son bras emprisonné. Puis ils s'extirpèrent du pantalon à revers de fourrure tandis que Prunille se désentortillait de sa fausse barbe. Bientôt, leurs dépouilles de monstres à leurs pieds, ils apparurent sous leur jour habituel (sauf Violette, en chemise d'hôpital depuis son passage au service Chirurgie). Les deux aînés secouèrent la tête énergiquement afin de se détalquer les cheveux, et chacun se frotta le visage à deux mains pour éliminer les fausses cicatrices.

— Je ne suis pas Beverly, dit Violette. Et lui, c'est mon frère, pas ma deuxième tête. Et elle, ce n'est pas Chabo le bébé mi-loup, c'est...

— Je sais, coupa Olivia, les yeux immenses. Je sais qui vous êtes tous les trois. Vous êtes les Baudelaire !

— Oui, répondit Klaus.

Les trois enfants sourirent. Il y avait si long-temps que personne ne les avait appelés par leur vrai nom ! Être reconnu, c'est toujours un peu redevenir soi-même. Et ils étaient eux-mêmes à nouveau, Violette, Klaus et Prunille Baudelaire, et non des monstres de fête foraine, ni des faux chirur-giens, ni quoi que ce fût d'autre.

— Oui, dit Klaus. Nous sommes les Baudelaire. Enfin, trois d'entre eux. Parce qu'il se pourrait... Nous n'en sommes pas certains, mais il se pourrait qu'il en reste un quatrième. Il se pourrait que l'un de nos parents soit encore en vie.

— Pas certains ? s'écria Olivia. La réponse n'est donc pas dans le dossier Snicket ?

— Nous n'avons que la page 13 du dossier, dit Klaus, tirant à nouveau de sa poche le précieux document. Nous essayons de trouver les autres avant qu'Olaf ne mette la main dessus. Mais d'après cette page 13, il se pourrait que l'un de nos parents ait survécu à l'incendie. Savez-vous si c'est vrai ?

Olivia soupira.

— Je n'en ai aucune idée. Ce dossier Snicket, moi aussi, je cours après. Chaque fois que je vois un papier emporté par le vent, je me précipite, dans l'espoir qu'il s'agisse de l'une de ses pages.

— Mais vous avez dit à Olaf qu'un de nos parents était vivant, rappela Violette. Et qu'il se cachait quelque part dans les monts Mainmorte.

— Simple supposition de ma part, avoua Olivia. Si l'un de vos parents est bel et bien vivant, il y a de fortes chances pour qu'il soit là-bas. Quelque part dans les monts Mainmorte se trouve un local S.N.P.V. L'un de leurs tout derniers Q. G. – Q. G. pour quartier général, naturellement. Mais vous savez tout ça, bien sûr.

— Nous ne savons rien du tout, dit Klaus. Nous ne savons même pas ce que signifie S.N.P.V.

Olivia ouvrit des yeux ronds.

— Mais alors, où avez-vous appris à vous déguiser ? Vous avez suivi point par point la méthode S.N.P.V. : visage dissimulé ou cosmétiqué, variété de déguisements et camouflages, voix déformée ou contrefaite. Tout ça, vous l'avez fait, avec vos fausses cicatrices, vos cheveux poudrés, vos voix forcées et vos costumes. Je dirais même plus, on jurerait que vous avez fouillé dans mon coffre à déguisements !

Elle se leva, gagna la grande malle dans un angle, tira une clé de sa poche et l'ouvrit. Puis, sous l'œil médusé des enfants, elle entreprit d'en sortir un assortiment d'accessoires dont chacun leur était familier : une perruque identique à celle du comte Olaf déguisé en Shirley ; une jambe de bois qui rappelait fort celle d'Olaf en capitaine Sham ; deux casseroles pareilles à celles dont le chauve au long nez s'était fait des cymbales, déguisé en contremaître ; un casque de motard étincelant, frère jumeau de celui d'Esmé déguisée en policier. Mais surtout, pour finir, elle leva bien haut une chemise à jabot fantaisie, réplique fidèle de celle qui gisait aux pieds des enfants.

— Voyez ? dit-elle. J'aurais pu croire que vous me l'aviez chipée.

— Mais la nôtre vient du coffre de la voiture du comte Olaf, dit Violette.

— Rien d'étonnant, alors, répondit Olivia. Tous les volontaires disposent du même attirail complet. Partout sur la planète, des gens se servent de ces déguisements pour essayer de traîner Olaf en justice.

— Prego ? fit Prunille.

— Moi non plus, avoua Klaus, je n'y comprends plus rien. Tout ça, c'est du chinois, pour nous, Olivia. S.N.P.V., d'abord, c'est quoi ? Tantôt on croirait un organisme, tantôt on croirait des personnes. Tantôt on croirait des gens bien, tantôt on croirait des fripouilles.

Olivia replia sa chemise à jabot.

— Oh ! ce n'est pas si simple, dit-elle d'une voix triste, tirant de sa malle un masque de chirurgien et le plaçant dans sa paume. Tous ces accessoires ne sont que des objets, enfants Baudelaire. On peut s'en servir pour rendre service, on peut s'en servir pour faire du mal. Parfois – souvent – on s'en sert pour les deux. Par-dessus le marché, il arrive qu'on ne sache trop quel déguisement prendre, ni que faire une fois qu'on l'a enfilé.

— Je ne comprends pas, dit Violette.

— Certains sont comme ces lions qu'Olaf vient d'apporter, reprit Olivia. Au départ, ce sont des gens bien et puis, sans savoir comment, ils deviennent tout différents. Ces lions étaient naguère de nobles créatures. L'un de mes amis les avait dressés à détecter la fumée, ce qui était fort utile pour notre type de missions. Mais à présent, le comte Olaf les affame, il leur donne le fouet et demain, à peu près sûrement, ils dévoreront vivant l'un de nos monstres. Le monde n'a pas plus de cervelle qu'un moineau.

— Linott ? interrogea Prunille.

— Je veux dire le monde des humains. Le plus souvent, il marche sur la tête. Trop compliqué, trop embrouillé. Il y a eu un schisme dans S.N.P.V. – une grande bagarre entre tous les membres, avec une rupture au bout. Et moi, depuis, j'ai bien du mal à y voir clair. Je n'aurais jamais cru être du genre à donner un coup de main aux fripouilles, et pourtant c'est ce que je fais. Ça ne vous est jamais arrivé, à vous, de vous surprendre en train de faire ce que vous n'auriez jamais cru faire un jour ?

— Euh, si, hésita Klaus, et il se tourna vers ses sœurs. Vous savez, les clés de Hal, qu'on lui a chipées aux Archives ? Je n'aurais jamais cru qu'un jour je commettrais un vol.

— Cid, fit Prunille ; autrement dit : « Et moi, je me suis battue en duel avec le Dr Orwell ; pourtant, je n'aurais jamais cru qu'un jour je deviendrais bagarreuse. »

— Oui, conclut Violette, nous avons tous, un jour ou l'autre, fait des choses que aurions cru ne jamais faire. Mais c'était toujours pour une bonne raison.

— Tout le monde a toujours une bonne raison, dit Olivia. Pour le comte Olaf, empocher votre héritage est une bonne raison de vous éliminer. Pour Esmé, être amoureuse d'Olaf est une bonne raison de se joindre à sa bande. Et moi aussi, chaque fois que j'ai dit à Olaf où vous étiez, j'avais une bonne raison : ma devise. « Il faut donner aux gens ce qu'ils désirent. »

— Scutab, laissa tomber Prunille.

— Prunille n'est pas sûre que ce soit une très bonne raison, traduisit Violette, et je dois dire que je suis d'accord avec elle. Vous avez causé beaucoup de mal, Olivia, beaucoup de mal à beaucoup de gens, pour donner au comte Olaf ce qu'il désirait.

Olivia hocha la tête et de nouvelles larmes perlèrent à ses cils.

— Je sais, dit-elle d'un filet de voix. Je sais. J'ai honte. Mais je ne sais pas que faire d'autre.

— Vous pourriez arrêter d'aider Olaf, suggéra Klaus. Et nous aider, nous, à la place. Vous pourriez nous dire tout ce que vous savez de S.N.P.V. Et vous pourriez nous emmener dans les monts Mainmorte, pour voir si l'un de nos parents est bien encore en vie.

— Je ne sais pas, soupira Olivia. J'ai mal agi pendant si longtemps ! Quoique... je pourrais changer, peut-être.

Elle se leva, droite comme un i, parcourut d'un regard mélancolique la tente qui s'assombrissait et reprit, la voix lointaine :

— J'avais le cœur noble, naguère. Croyez-vous qu'il me soit possible de retrouver mon cœur d'antan ?

— Difficile à dire, avoua Klaus, mais on peut toujours essayer. Par exemple, en partant ensemble, là, maintenant, pour les monts Mainmorte.

Olivia leva les sourcils.

— Partir, mais comment ? Avec quel véhicule ? Quel attelage ? Quel lance-pierres géant ?

Violette renoua son ruban dans ses cheveux et contempla le plafond, pensive.

— Olivia, dit-elle enfin, les wagonnets du grand huit, ils sont en état de marche ?

— Les wagonnets ? À moitié. Disons que les roues tournent ; mais chacun d'eux est équipé d'un petit moteur, et j'ai bien peur que les moteurs ne soient rouillés.

— Hmm, fit Violette. En retaper un devrait être

dans mes cordes. Peut-être en me servant de votre machine à éclairs. Après tout, ce bout de caoutchouc est un peu comme...

— Une courroie de ventilateur ! compléta Olivia. Oui, c'est une bonne idée, Violette.

— J'irai bricoler là-bas, ce soir, décida Violette. Dès qu'il fera un peu sombre. Comme ça, nous pourrons partir demain à l'aube.

— Ce soir ? s'effara Olivia. Surtout pas ! Le soir, Olaf et sa bande traînent dehors jusqu'à des heures impossibles. Non, il vaudrait mieux partir l'après-midi, à l'heure où tout le monde est occupé. Tu pourras bricoler ce moteur demain matin, quand Olaf viendra ici consulter ma boule de cristal.

— Et que ferez-v... commença Klaus.

— Oh ! j'ai une boule de secours, répondit Olivia. Ce n'est pas la première qui finit en miettes.

— Ce n'est pas ce que je voulais demander, reprit Klaus. Je voulais dire : que répondrez-vous au comte, quand il demandera où nous sommes ? Pas que nous sommes ici, n'est-ce pas ?

Olivia marqua un silence, puis elle fit non de la tête.

— Non, souffla-t-elle très bas.

Mais le ton était incertain.

— Prômi ? demanda Prunille.

Olivia posa les yeux sur la petite et resta muette un moment.

— Oui, murmura-t-elle enfin, promis. Promis, si vous promettez de m'emmener avec vous.

— Promis, dit Violette, et ses cadets acquiescèrent gravement. Maintenant, commençons par le commencement. S.N.P.V., c'est l'abréviation de quoi ?

— Madame Lulu ? appela une voix éraillée au dehors. (Les enfants échangèrent des regards atterrés.) Luuluuu, ohé ? Où es-tu ?

— Dans la tente de voyance, excusez, mon Olaf ! répondit Olivia, reprenant son accent avec autant d'aisance qu'on se coiffe d'un chapeau. Mais n'entre pas, je prie toi. Je suis faisant secret rituel avec boule de cristal mienne.

— Dépêche-toi ! grogna le comte. La fosse est creusée, ça y est, mais ça m'a mis le gosier à sec. Viens nous servir de ton vin.

— Une minute petite, mon Olaf, dit Olivia, empoignant l'écharpe qui lui tenait lieu de turban. Si tu prenais douche en attendant, excusez ? Tu dois être de sueur tout couvert. Quand tu auras fini, nous serons tous ensemble prenant bon vin.

— Une douche ? J'en ai pris une il y a huit jours ! Bon, je vais me mettre un peu d'eau de Cologne et je t'attends dans ta roulotte.

— Oui, mon Olaf, va vite ! lança Olivia, et elle se pencha vers les enfants tout en enroulant son turban. Bon, tant pis, leur chuchota-t-elle, nous reprendrons cette conversation plus tard. Demain, je vous dirai tout ce que vous désirez savoir.

— Vous ne pourriez pas nous en dire juste un peu, là, maintenant? implora Klaus.

Jamais ils n'avaient été aussi près des réponses qu'ils espéraient tant; devoir attendre encore leur était presque insoutenable.

— Non, non, le temps manque, décida Olivia. Venez, que je vous aide plutôt à vous redéguiser bien vite.

Les enfants hésitèrent, puis Violette s'inclina.

— C'est vrai que les autres risquent de nous chercher.

— Selva, concéda Prunille.

Et elle entreprit de se réempaqueter dans sa barbe. Violette et Klaus enfilèrent chacun une jambe du pantalon trop grand, puis ils reboutonnèrent leur chemise tandis qu'Olivia vérifiait l'aplomb de son turban.

— Oh! nos cicatrices, s'avisa Klaus, les yeux sur son aînée. Il faut les refaire.

— Et nous repoudrer les cheveux, aussi, dit Violette.

— J'ai ici crayon maquillage, excusez, dit Olivia, regagnant sa malle. Et poudre talc.

— Pas besoin de prendre votre accent avec nous, dit Violette, retirant son ruban de ses cheveux.

— Est sage de pratiquer, excusez, répondit

Olivia. Je dois penser être madame Lulu, sinon, je risque l'oubli de déguisement.

— Mais vous n'oublierez pas vos promesses, n'est-ce pas ? s'enquit Klaus.

— Promesses ? répéta Mme Lulu.

— Vous avez promis de ne pas dire à Olaf qui nous sommes, rappela Violette. Et nous avons promis de vous emmener avec nous dans un wagonnet.

— Bien sûr, Beverly, dit Mme Lulu. Je ferai le tenir de promesse à monstres.

— Je ne m'appelle pas Beverly, dit Violette, et je ne suis pas un monstre.

Mme Lulu sourit et se pencha pour tracer une cicatrice sur le front de l'aînée des Baudelaire.

— Mais il est heure de déguisements, excusez, dit-elle. Ne faites pas oubli de vos voix déguisées, ou vous serez reconnus.

— Nous n'oublierons pas, dit Klaus, rangeant ses lunettes dans sa poche. Et vous, vous n'oublierez pas vos promesses, d'accord ?

— Bien entendu, excusez, répondit Mme Lulu, menant les enfants hors de la tente. Ne vous faites pas soucis, excusez.

Les trois enfants sortirent avec elle, dans la lumière bleue du crépuscule de l'arrière-pays. Baignés de cette lumière, ils semblaient différents, comme s'ils portaient un déguisement bleu par-dessus leurs déguisements de monstres. Les cheveux talqués de Violette se paraient d'une étrange phosphorescence ; les fausses cicatrices de Klaus paraissaient plus sinistres encore ; Prunille semblait un petit nuage bleu au milieu duquel ses dents luisaient comme des perles. Quant à Mme Lulu, elle faisait plus voyante que jamais avec le joyau luminescent à son front et sa longue robe moirée de bleu par les dernières lueurs du jour.

— Bonne nuit, monstres miens, murmurat-elle.

Et les enfants, les yeux sur cette grande femme nimbée de mystère, se demandèrent si elle allait vraiment changer de devise et recouvrer un cœur noble.

— Je ferai le tenir de promesse, souffla-t-elle.

Mais les trois enfants ne pouvaient pas savoir si Mme Lulu était sincère ou si elle disait simplement ce qu'ils désiraient entendre.

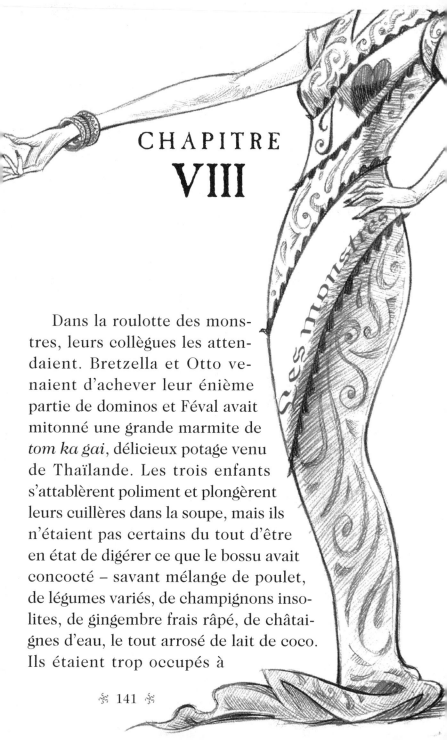

CHAPITRE
VIII

Dans la roulotte des monstres, leurs collègues les attendaient. Bretzella et Otto venaient d'achever leur énième
partie de dominos et Féval avait
mitonné une grande marmite de
tom ka gai, délicieux potage venu
de Thaïlande. Les trois enfants
s'attablèrent poliment et plongèrent
leurs cuillères dans la soupe, mais ils
n'étaient pas certains du tout d'être
en état de digérer ce que le bossu avait
concocté – savant mélange de poulet,
de légumes variés, de champignons insolites, de gingembre frais râpé, de châtai-
gnes d'eau, le tout arrosé de lait de coco.
Ils étaient trop occupés à

digérer ce qu'ils venaient d'entendre, expression signifiant ici : « réfléchir à ces choses étranges que Mme Lulu avait dites ».

Violette avala une cuillerée de la mixture, mais elle réfléchissait si fort aux archives de la fausse voyante que c'est à peine si elle perçut cette saveur inattendue, à la fois piquante et sucrée. Klaus mastiqua une châtaigne d'eau, mais il s'interrogeait tant sur ce Q. G. dans les monts Mainmorte qu'il n'en savoura même pas le croquant. Et Prunille inclina son bol pour aspirer une gorgée du bouillon, mais elle songeait si fort au coffre à déguisements qu'elle ne s'aperçut pas qu'elle détrempait sa barbe. Chacun des trois enfants termina sa soupe jusqu'à la dernière goutte, mais ils étaient tellement avides de savoir ce que Mme Lulu avait à leur dire qu'ils se sentirent à peine plus rassasiés après qu'avant.

— Mince alors ! personne n'est bavard, ce soir, fit observer Bretzella, la tête sous son aisselle. Féval et Otto, vous n'avez rien dit, et je ne crois pas avoir entendu un seul grognement de Chabo, ni un mot de vos deux têtes, Elliot-et-Beverly.

— Nous n'avons pas très envie de parler, dit Violette, se souvenant à temps de prendre sa voix grave. Trop de choses en tête, je pense.

— Sûr, approuva Féval. Et plonger dans la gueule d'un lion ne m'enchante toujours pas plus que ça.

— Moi non plus, dit Bretzella. Pourtant les visiteurs, eux, avaient l'air enchantés. Les gens adorent le spectacle de la violence, voilà ce qu'il y a.

— Et de la goinfrerie, reprit Féval, se tamponnant la bouche délicatement. Intéressant, comme dilemme.

— Intéressant ? Pas d'accord, dit Klaus, clignant de ses yeux de myope sans lunettes. Moi, je trouve ça dramatique, plutôt. Demain, l'un de nous fera son dernier saut.

Il se garda de préciser que ses sœurs et lui avaient prévu être déjà loin, à l'heure dite, grâce à ce wagonnet que Violette devait bricoler aux aurores.

— Franchement, je ne vois pas ce qu'on peut y faire, soupira Otto. C'est vrai que j'aimerais mieux poursuivre ma carrière de monstre. D'un autre côté, Mme Lulu dit toujours qu'il faut donner aux gens ce qu'ils désirent. Et apparemment le public désire des spectacles carnivores.

— Moi, la devise de Mme Lulu, je la trouve monstrueuse, décréta Violette – et Prunille gronda son approbation. Franchement, il y a mieux à faire, dans la vie, que de donner des spectacles humiliants ou dangereux, rien que pour le plaisir de parfaits inconnus.

— Bon, dit Bretzella, mais qu'est-ce que vous suggérez, à la place ?

Les enfants hésitèrent. Fallait-il révéler leur plan de fuite ? Non, c'était trop risqué : et si l'un de leurs collègues courait les dénoncer ? Pourtant, ils refusaient l'idée qu'un drame allait se nouer, simplement parce que ces trois-là se prenaient pour des monstres de foire, voués au bon plaisir du public.

— On ne sait jamais, dit Violette prudemment. Vous pourriez trouver autre chose. Et l'occasion peut se présenter n'importe quand.

— Tu crois vraiment ? demanda Féval, se redressant.

— Oui, assura Klaus. La chance peut frapper à la porte à tout moment.

Otto posa sa cuillère, une lueur d'espoir dans les yeux.

— Frapper de quelle main ?

— La chance peut frapper de n'importe quelle main, Otto, répondit Klaus.

À cet instant précis, on frappa à la porte.

— Ouvrez, monstres ! lança une voix aigre.

Oh ! ce n'était pas la chance qui frappait, et aucun des monstres attablés ne s'y trompa une seconde. Ils avaient tous reconnu la voix. Non, ce n'était pas la chance, porteuse d'une heureuse solution, c'était une sinistre canaille, porteuse d'une solution diabolique. Car, je suis au regret de le dire, c'était Esmé qui frappait, ses ongles griffus crissant sur le bois.

— Ouvrez ! J'ai à vous parler.

— Une petite seconde, Mme d'Eschemizerre! répondit Féval en se levant, et il se tourna vers ses collègues. On se tient bien et tout, hein? leur souffla-t-il. Ce n'est pas tous les jours qu'une personne normale veut nous parler, ne laissons pas passer cette chance.

— Nous serons parfaits, promit Bretzella. Je vais rester toute droite.

— Et moi, ne me servir que d'une main, promit Otto.

— Parfait, murmura Féval, et il ouvrit.

Esmé était plantée sur le marchepied, un sourire malin sur les lèvres.

— Bonsoir, dit-elle, je suis Esmé Gigi Geniveve d'Eschemizerre – ce qui était sa façon habituelle de se présenter, y compris lorsque chacun savait parfaitement qui elle était.

Elle entra dans la roulotte et les enfants ouvrirent des yeux ronds sur sa tenue, plus ahurissante encore qu'à l'accoutumée. Sa robe blanche était si longue qu'elle s'étalait à ses pieds à la façon d'une flaque de lait. Sur sa poitrine scintillait l'inscription: «J'aime les montres», à ce détail près que le mot aime était remplacé par un gros cœur rouge, symbole parfois utilisé par ceux qui confondent les dessins et l'alphabet. Derrière sa nuque, un sac à dos faisait une sorte de bosse et sa tête était surmontée d'un curieux chapeau rond orné d'une tignasse au

sommet et d'un visage grimaçant à l'avant. Assuré-
ment, le tout devait être très « tendance », très *in*
comme elle disait, mais les enfants se demandaient
qui diable pouvait la trouver jolie.

— Quelle élégance ! s'écria Féval.

— Merci, dit Esmé.

Elle enfonça un ongle pointu dans l'estomac de
Bretzella pour l'inviter à lui céder sa chaise, puis
elle enchaîna :

— Comme vous le voyez, j'aime les monstres.

— C'est vrai ? dit Otto. C'est gentil.

— Absolument, je les adore. D'ailleurs, j'ai fait
faire cette robe tout exprès pour le montrer. Vous
avez vu ? J'ai comme une bosse, et mon chapeau
me fait une deuxième tête, à moi aussi.

— Vous faites très monstre, en effet, dit Bretzella.

Esmé parut s'assombrir ; ce n'était pas ce qu'elle
voulait entendre.

— Naturellement, reprit-elle, je n'en suis pas
un. Je suis une personne tout ce qu'il y a de plus
normal, mais je voulais vous montrer combien je
vous admire, tous. Pourrais-je avoir un verre de
babeurre ? C'est très *in*.

— Nous n'avons pas de ça, avoua Féval, mais
nous avons du jus de bleuets, je crois, ou je peux
vous faire un chocolat chaud. La petite Chabo m'a
appris à y ajouter une pointe de cannelle et c'est
absolument exquis.

— Tom ka ġai! ajouta Prunille.

— Oui, nous avons aussi de la soupe, compléta Féval.

Esmé se renfrogna, les yeux sur Prunille.

— Non merci, rien du tout, dit-elle, mais c'est gentil à vous. En fait, vous êtes si gentils, vous autres monstres, que vous êtes pour moi bien plus qu'une attraction foraine. Je vois plutôt en vous des amis très chers.

Cette déclaration, les enfants le savaient, était aussi fausse que sa deuxième tête, mais leurs collègues furent très touchés. Féval fit un baise-main à Esmé, puis il se tint si droit, si droit qu'on ne voyait presque plus sa bosse. Otto rougit et regarda ses mains. Et Bretzella, dans l'émotion, perdit toute retenue et se contorsionna en S et en K tout en bredouillant :

— Oh! Esmé, c'est vrai ? c'est vrai ?

— Naturellement que c'est vrai, dit Esmé, la main sur le cœur. Je préfère votre compagnie à celle des gens les plus chics.

— Bon sang, dit Otto, jamais personne ne m'avait appelé « ami très cher ».

— C'est pourtant ce que vous êtes, assura Esmé, et elle lui planta un baiser sur le nez. Vous êtes mes très chers amis monstres. Et le cœur me fend à l'idée que l'un de vous, demain, se fera dévorer par les lions. (Elle tira de sa poche un petit mouchoir blanc sur lequel était brodé le même slogan que sur sa robe et s'en tamponna les yeux.) Rien que d'y penser, voyez...

— Allons, allons, très chère amie, murmura Otto, lui pressant la main. Il ne faut pas pleurer.

— C'est plus fort que moi, geignit Esmé, retirant sa main comme si elle craignait quelque monstrueuse contagion. Mais j'ai décidé de vous offrir une chance, une chance qui pourrait faire notre bonheur à tous.

— Une chance ? répéta Féval. Ça alors ! Justement, Beverly-et-Elliot étaient en train de nous dire qu'une chance pouvait se présenter à tout moment.

— Eh bien ! ils disaient vrai. Ce soir, je vais vous offrir une chance unique de quitter vos emplois de monstres pour vous joindre à la troupe d'Olaf, qui se trouve être aussi la mienne.

— Oh ! s'émerveilla Féval, la troupe d'Olaf ? Et pour y faire quoi ?

Alors Esmé mit en avant tous les avantages de son offre, se gardant bien d'en mentionner les inconvénients.

— Voilà. C'est une troupe de théâtre, et donc vous porteriez des costumes. Vous tiendriez des rôles dramatiques et, à l'occasion, vous commettriez des crimes.

— Des rôles dramatiques ! s'extasia Otto, les mains jointes. Moi qui ai toujours rêvé de monter sur les planches !

— Moi qui ai toujours rêvé de porter un costume ! s'enthousiasma Féval.

— Mais monter sur les planches, vous le faites déjà, rappela Violette. Et porter des costumes aussi, tous les jours, pour votre spectacle.

— Si vous vous engagiez avec nous, enchaîna Esmé avec un regard noir pour Violette, vous feriez voyage sur voyage. Vous découvririez des lieux merveilleux. Les membres de notre troupe ont vu la forêt de Renfermy, le lac Chaudelarmes, la Société des noirs protégés de la volière et bien d'autres sites pittoresques, même s'ils voyagent toujours à l'arrière. Mais surtout vous auriez l'honneur de travailler pour le comte Olaf, l'un des hommes de théâtre les plus illustres que la terre ait portés.

— Mais vous êtes sûre qu'un homme comme lui, normal et tout, voudra de monstres comme nous ? dit Bretzella prise de doutes.

— Évidemment que j'en suis sûre ! Du moment que vous faites ce qu'on vous dit de faire, le comte Olaf se moque bien de savoir si vous êtes normaux ou pas. Pour lui, vous verrez, le mot « monstrueux » n'a pas de sens. Et au bout de la route, il y a la fortune. Vous verrez.

— Fichtre ! dit Féval. C'est une chance à ne pas laisser passer !

— Je savais que vous l'apprécieriez, dit Esmé. Maintenant, si la proposition vous intéresse, il y a juste une toute petite condition à remplir.

— Passer une entrevue d'embauche ? s'inquiéta Bretzella.

— Pour des amis très chers ? se récria Esmé. Jamais ! Non, juste un petit service à me rendre. Demain, à l'heure du spectacle des lions, le comte Olaf annoncera lequel d'entre vous devra sauter dans la fosse. Je demande simplement à l'élu de pousser Mme Lulu dans la fosse à sa place.

Le silence tomba sur la roulotte. Chacun digérait l'information.

Puis Féval balbutia :

— Vous voulez dire, euh... vous voulez dire que vous nous demandez d'assassiner Mme Lulu ?

— N'y voyez pas un assassinat, dit Esmé. Plutôt un exercice théâtral. Un rôle dramatique. C'est une surprise pour le comte Olaf. Pour lui prouver que vous avez assez de cran pour vous rallier à sa troupe.

— Pousser Lulu dans la fosse aux lions ne me paraît pas spécialement une preuve de cran, dit Bretzella. Je dirais plutôt que c'est mal.

— Mal ? fit Esmé. Qu'y a-t-il de mal à donner aux gens ce qu'ils désirent ? Vous désirez vous joindre à la troupe du comte Olaf. Le public désire voir quelqu'un finir dans la gueule des lions. Je désire voir Mme Lulu poussée dans cette fosse. Demain, l'un de vous aura cette chance inouïe : pouvoir donner à chacun ce qu'il désire.

— Grr, gronda Prunille.

Mais seuls ses aînés comprirent : « Chacun, sauf Mme Lulu. »

— Vu sous cette angle, dit Féval, pensif, ça ne paraît pas si mal.

— Évidemment, que ce n'est pas si mal, affirma Esmé, rajustant sa deuxième tête. D'ailleurs, vous avez vu comme Mme Lulu se réjouissait à l'idée de vous jeter à ses lions ? Si j'étais vous, c'est moi qui me réjouirais de la voir sauter dans cette fosse !

— Oui, mais vous ? s'enquit Bretzella. Vous, pourquoi vous réjouir de la voir sauter dedans ?

Esmé fit la moue.

— Le comte croit que nous avons besoin de Lulu, dit-elle ; c'est pour ça qu'il veut le succès de Caligari. Moi, je crois que nous pouvons nous passer de sa voyance. Et je suis un peu lasse de voir Olaf la couvrir de cadeaux.

— Pas sûre que ce soit une très bonne raison pour jeter quelqu'un aux lions, avança Violette de sa voix déguisée. Pas à mon avis, en tout cas.

— Oui, mais toi, tu as deux têtes, dit Esmé d'un ton conciliant, en tapotant d'une main griffue la joue balafrée de Violette. Avec deux têtes, c'est un peu normal d'avoir des idées biscornues. Une fois dans la troupe d'Olaf, parions que tu auras les idées plus claires.

— Imaginez ! s'enflamma Féval. Demain, nous

ne serons plus des monstres. Nous serons des hommes de confiance du comte Olaf!

— Je préfère le terme «personnes de confiance», dit Bretzella.

Esmé les gratifia tous d'un sourire, elle se délesta de son sac à dos et l'ouvrit.

— Pour célébrer votre entrée dans la troupe, dit-elle, je vous ai apporté un petit cadeau à chacun.

— Un cadeau! s'écria Otto. Jamais Mme Lulu ne nous a fait de cadeaux.

— Celui-ci est pour toi, Féval, dit Esmé.

Et elle extirpa de son sac un immense manteau que les enfants reconnurent au premier coup d'œil: c'était celui – deux fois trop grand – dans lequel l'homme aux crochets s'était déguisé en portier. Les manches étaient si longues qu'il y avait camouflé ses crochets et, lorsque Féval l'enfila, les enfants constatèrent qu'il était assez large d'épaules pour y camoufler une bosse. Féval alla s'inspecter dans le miroir, puis il revint vers ses collègues, rayonnant.

— Vous avez vu? Je ne suis plus un monstre!

— Voyez? triompha Esmé. Je vous le disais, que le comte Olaf vous ferait la vie plus belle. Et maintenant, Bretzella, regarde ce que j'ai pour toi.

Et elle tira de son sac la longue robe noire, ample et informe, que les enfants se rappelaient avoir vue dans le coffre de la voiture.

— Dans cette robe, expliqua Esmé, tu pourras te contorsionner à ta guise. Personne n'y verra que du feu.

Bretzella la lui arracha des mains.

— Mon plus beau rêve réalisé ! Moi, pour une robe comme ça, je serais prête à jeter aux lions tout un régiment.

— Et toi, Otto, poursuivit Esmé, vois cette jolie cordelette. Tourne-toi, je vais t'attacher la main droite dans le dos pour t'empêcher de t'en servir.

— Et je serai gaucher ! jubila Otto, offrant son dos à Esmé. Hourra !

— Et je ne vous ai pas oubliés, vous deux, annonça Esmé aux trois enfants, avec son grand sourire dents blanches. Chabo, voici des ciseaux dont le comte Olaf se sert parfois pour tailler ses favoris. Je me suis dit que tu aimerais sans doute raccourcir un peu ton vilain pelage. Et pour toi, Beverly-et-Elliot, enfin, pour vous... j'ai pensé à ceci.

D'un geste triomphal, elle tendit son sac à Klaus et Violette : un sac vide.

— C'est pour couvrir l'une de tes têtes, expliqua Esmé. Tu auras l'air d'une personne normale, avec un sac sur l'épaule. N'est-ce pas un trait de génie ?

— Euh, si, marmotta Klaus à mi-voix.

— Qu'est-ce qu'il y a ? s'enquit Féval. On te fait une proposition mirifique, on t'offre un joli cadeau, et tes deux têtes font grise mine !

— Toi aussi, Chabo, dit Bretzella. Je vois bien que, sous ta fourrure, tu n'as pas l'air emballée.

— Euh, je crois que nous allons refuser l'offre, dit Violette de sa voix grave.

Ses cadets approuvèrent d'un hochement de tête.

— Quoi ? s'étrangla Esmé.

— Oh ! ce n'est pas parce que c'est vous, se hâta de dire Klaus (ce qui était un vilain mensonge, car pour rien au monde il n'aurait accepté de travailler pour Esmé). Faire partie d'une troupe de théâtre, c'est bien tentant, il faut le reconnaître, et ce comte Olaf semble quelqu'un de formidable.

— Mais alors, où est le problème ? demanda Otto.

— Ce qu'il y a, répondit Violette, c'est que je n'aime pas trop l'idée de pousser Mme Lulu aux lions.

— En tant que deuxième tête, dit Klaus, je suis tout à fait d'accord. Et Chabo est d'accord aussi.

— Parions qu'elle n'est qu'à moitié d'accord, intervint Féval. Parions que sa moitié loup serait ravie de voir Lulu se faire dévorer.

Prunille fit non de la tête et gronda le plus doucement possible. Violette l'assit sur la table.

— À mon avis, ce serait mal agir, reprit Violette. Il y a plus aimable que Mme Lulu, je vous l'accorde. Mais malgré tout, je ne crois pas qu'elle mérite d'être dévorée.

Alors, avec son sourire le plus faux, Esmé se pencha vers Klaus et Violette et elle leur dit d'un ton très doux :

— Ne torture donc pas tes pauvres têtes sur la question de savoir ce que Lulu mérite ou pas. A-t-on jamais ce qu'on mérite, en ce bas monde ? Chabo a-t-elle mérité d'être à moitié loup ? Non, non, le monde est ainsi fait.

— Quand même, s'entêta Klaus. La pousser dans la fosse, ça me paraît vraiment être une mauvaise action.

— Pas du tout, dit Féval. Ça revient à donner aux gens ce qu'ils désirent, comme Mme Lulu elle-même dit toujours.

Esmé se leva de table.

— Écoutez-moi, dit-elle. Ne prenez aucune décision ce soir. Réfléchissez à la question, laissez passer la nuit, et vous y verrez plus clair au matin.

Elle se tut. Les monstres ne dirent rien. Elle enchaîna donc :

— Demain, juste après le spectacle, le comte Olaf se mettra en route pour les monts Mainmorte où des affaires importantes l'appellent. Si d'ici là Mme Lulu est dévorée, vous serez tous admis dans sa troupe. En attendant, dormez bien ; la nuit porte conseil. Demain, vous me direz ce que vous avez choisi : rallier une troupe prestigieuse ou rester des monstres minables dans un parc forain miteux.

— Je n'ai pas besoin des conseils de la nuit ! dit Otto.

— Moi non plus, assura Bretzella. Je peux donner ma réponse tout de suite.

— Moi aussi, renchérit Féval. Je veux suivre le comte Olaf.

— Ravie de l'entendre, déclara Esmé. Puissiez-vous convaincre vos collègues !

Elle balaya les trois enfants d'un regard lourd de mépris et ouvrit la porte. Le crépuscule de l'arrière-pays avait depuis longtemps laissé place à la nuit noire, sans trace de bleu magique.

— Et vous autres, monstre à deux têtes et bébé mi-loup, méditez là-dessus : pousser Mme Lulu dans la fosse, ce n'est peut-être pas joli joli, mais... (Elle descendit les marches et, dans la nuit noire, on aurait juré un fantôme avec sa longue traîne blanche.) Mais si vous refusez de nous suivre, où irez-vous, pouvez-vous me le dire ?

À cette terrible question, les enfants n'avaient pas de réponse. Mais Esmé en avait une, non moins terrible, sous forme de question :

— Vous qui tenez tant à bien agir, que diable ferez-vous, dites-moi ?

Et, avec un grand rire sardonique, elle disparut dans la nuit.

CHAPITRE
IX

Pour que la nuit porte conseil, il faut commencer par dormir. Qu'elle porte conseil par le rêve ou par le repos qui rend les idées claires, seule une nuit de bon sommeil peut jouer les conseillères.

L'ennui est que, d'ordinaire, se coucher avec une question en tête est le meilleur moyen de ne pas dormir. Plus grave est la décision à prendre le lendemain, plus ténues sont les chances de trouver le sommeil. Et si c'est un dilemme, un vrai, que vous emportez sur l'oreiller, il y a gros à parier que vous ne fermerez pas l'œil de la nuit. Pour ma part, cette nuit même, je me suis débattu avec un problème impliquant des gouttes pour les yeux, un gardien de nuit suspect et un plateau de ramequins d'œufs au lait. Résultat : ce matin, je suis si épuisé que j'ai peine à faper ces mofs correcfemenf.

Il en fut de même, ce soir-là, pour les orphelins Baudelaire après qu'Esmé leur eut dit de laisser la nuit leur porter conseil. Les trois enfants n'avaient, bien sûr, pas plus l'intention de se joindre à des crapules que de pousser quiconque dans la gueule de fauves à jeun – là n'était donc pas la question. Mais Esmé leur avait demandé, aussi, ce que diable ils comptaient faire s'ils refusaient de suivre Olaf ; et c'était cette question-là qui les faisait se retourner comme des brochettes dans leurs hamacs.

En vérité, à l'heure dite, ils espéraient bien être en route à travers l'arrière-pays dans un wagonnet de grand huit motorisé par Violette, en compagnie de Mme Lulu redevenue Olivia, emportant les archives découvertes sous la table de la voyante et l'espoir de retrouver l'un de leurs parents bien vivant au quartier général de S.N.P.V., quelque part dans les monts Mainmorte.

Et si la phrase ci-dessus vous semble alambiquée, rien d'étonnant : le programme qu'elle décrit semblait lui-même si alambiqué que les trois enfants, à présent, se tracassaient à la pensée de tout ce qui pouvait capoter, et donc faire capoter le projet.

Violette se tracassait à l'idée que cette lanière dont elle comptait faire une courroie de radiateur n'allait peut-être pas suffire à remettre en état un wagonnet rouillé. Klaus se tracassait à l'idée que les archives de Mme Lulu ne contenaient peut-être aucune indication sur l'endroit où ils voulaient se rendre, si bien qu'ils risquaient de se perdre au milieu de l'arrière-pays, réputé traître aux voyageurs et infesté de bêtes sauvages. Prunille se tracassait à l'idée qu'ils n'allaient peut-être rien trouver à se mettre sous la dent. Et tous trois se tracassaient à l'idée que Mme Lulu n'allait peut-être pas tenir sa promesse, et qu'à la première heure, au contraire, elle révélerait au comte Olaf qu'ils étaient là, déguisés en monstres.

Toute la nuit, les trois enfants se tracassèrent. Et si, pour moi, tout s'est arrangé, le chef pâtissier ayant fini par frapper à ma vitre avant l'aube, dans leur cas, le jour pointa sans que la nuit ne leur eût porté l'ombre d'un conseil. Une seule chose semblait claire : leur plan était risqué, et ils n'en avaient pas d'autre.

Lorsque l'aurore glissa du rose à la fenêtre de la roulotte, les trois enfants se coulèrent sans bruit à bas de leurs hamacs. Féval, Otto et Bretzella ayant déjà résolu leur dilemme, ils n'avaient strictement rien sur quoi laisser passer la nuit et, comme d'ordinaire en pareil cas, ils dormaient si profondément qu'aucun d'eux ne s'éveilla lorsque le trio se faufila dehors.

Les hommes d'Olaf avaient creusé la fosse aux lions quasiment au pied du grand huit, si près que les enfants durent cheminer tout au bord pour gagner les wagonnets enfouis sous le lierre. L'excavation n'était pas très profonde – juste ce qu'il fallait pour ôter tout espoir d'en sortir en cas de chute –, ni très spacieuse non plus. Les malheureux lions y étaient presque aussi à l'étroit que dans la remorque qui les y avait emmenés.

Pas plus que les monstres, apparemment, les fauves n'avaient besoin des conseils de la nuit, et à cette heure matinale, ils ronflaient encore avec application. Dans leur sommeil, ils ne semblaient pas particulièrement féroces. Leurs crinières en broussaille n'avaient sans doute pas vu de brosse depuis belle lurette, et de temps en temps, leurs pattes tressaillaient comme s'ils rêvaient à des jours meilleurs. Sur leurs échines s'entrecroisaient de vilaines marques sombres, les morsures du fouet d'Olaf, et la plupart n'avaient que la peau sur les os, à croire que leur dernier repas remontait à une date lointaine. Les trois enfants, à les voir, eurent la gorge serrée.

— Ils font peine à voir, murmura Violette, les yeux sur un grand mâle si maigre qu'on pouvait lui compter les côtes. Si l'on en croit Mme Lulu, ces lions étaient de nobles créatures, naguère ; et voyez ce que le comte Olaf a fait d'eux.

— Ils ont l'air tristes, dit Klaus d'une voix étranglée, clignant des yeux vers le fond de la fosse. Peut-être que ce sont des lions orphelins.

— Mais peut-être qu'un de leurs parents est encore en vie, dit Violette, quelque part dans les monts Mainmorte.

— Edasiorc, dit Prunille, en d'autres mots : « Un jour, nous reviendrons les sauver. »

— Oui, mais pour revenir ici, il faut d'abord en partir, rappela Violette d'un ton ferme. Et, pour les sauver, il faut d'abord nous sauver, nous. Klaus, tu veux bien m'aider à arracher le lierre, s'il te plaît, qu'on puisse dégager ce wagonnet ? Et je pense qu'il va nous en falloir deux, finalement : un pour les archives, l'autre pour les passagers. Prunille, tu voudrais bien essayer d'en dégager un, toi aussi ?

— Facil, dit Prunille, souriant de toutes ses dents.

— Au fait, suggéra Klaus, pourquoi on ne prendrait pas une roulotte ? Ce ne serait pas plus simple d'en équiper une de ce moteur que tu comptes bricoler ?

— Trop lourd, répliqua Violette. Pour traîner une roulotte, il faudrait plusieurs chevaux ou alors une auto. Cela dit, pas sûr qu'on arrive à retaper un de ces moteurs. Mme Lulu nous a prévenus, ils risquent d'être rouillés.

— À propos d'attelage, dit Klaus, tirant sur le

lierre avec son bras libre, c'est nos espoirs qui sont attelés à un plan complètement fou. Mais peut-être pas plus fou, au fond, que tant de nos plans échevelés – comme d'emprunter un voilier, par exemple.

— Ou de faire de l'escalade dans une cage d'ascenseur, rappela Violette.

— Chtouri, fit Prunille, la bouche pleine de lierre, et ses aînés comprirent : « Ou de faire semblant d'être des chirurgiens. »

— Vous savez quoi ? dit Violette. Si ça se trouve, notre plan n'est pas si fou que ça. Regardez les essieux de ce wagonnet.

— Les quoi ? dit Klaus.

— Les longues pièces en travers, là, par-dessous, qui relient les roues deux à deux. Ils m'ont l'air impeccables. Et ça tombe bien, parce que ces roues vont devoir faire de la route...

Violette leva les yeux un instant pour regarder au loin. Sur l'horizon est, le soleil flottait comme un ballon, prêt à darder ses rayons sur le miroir à éclairs, sous la tente de Mme Lulu. Mais c'était l'horizon nord que contemplait Violette, et l'étrange profil des monts Mainmorte, un peu en marches d'escalier plutôt qu'en pics et en crêtes. Par endroits, sur les hauteurs, on devinait des plaques de neige, et les sommets disparaissaient dans une épaisse brume grisâtre.

— Oui, il y a de la route à faire pour arriver là-bas, répéta-t-elle, songeuse. Et les ateliers de dépannage risquent de manquer un peu.

— Je me demande bien ce qu'on va trouver là-bas, dit Klaus. Je n'ai jamais mis les pieds dans un quartier général, moi.

— Moi non plus, tu sais. Tu veux bien te pencher avec moi, que je jette un coup d'œil à ce moteur ?

— Si on en savait plus long sur S.N.P.V., reprit Klaus, on saurait mieux à quoi s'attendre. Il se présente bien, ce moteur ?

— Pas trop trop mal. Plusieurs des pistons sont rouillés, mais je dois pouvoir les remplacer avec ces loquets, là, sur les côtés, et la machine à éclairs va nous fournir une courroie... Oh ! il nous manque une chose, en revanche : un genre de câble, ou du fil de fer, pour arrimer le deuxième wagonnet au premier.

— Hédéra ? suggéra Prunille.

— Bonne idée, lui dit son aînée. Ce lierre m'a l'air résistant à souhait. Tu veux bien plumer de leurs feuilles deux ou trois tiges de bonne longueur ? Tu me rendrais grand service.

— Et moi, qu'est-ce que je fais ? s'enquit Klaus.

— Toi, tu m'aides à renverser ce wagonnet. Oh ! attention, Prunille ! Regarde bien où tu mets les pieds. Aucune envie de te voir tomber dans cette fosse.

— Aucune envie de voir qui que ce soit tomber dans cette fosse, dit Klaus. Vous croyez que les autres vont vraiment y pousser Mme Lulu ?

— Pas si nous terminons à temps, dit Violette, s'assombrissant. Essaie de m'aider à tordre ce loquet, tu veux bien ? Pour qu'il entre dans cette encoche. Non, non, non, dans l'autre sens ! J'espère seulement qu'Esmé ne les forcera pas à pousser quelqu'un d'autre, une fois qu'on aura filé en douce avec Mme Lulu.

— Ça risque pourtant d'être le cas, dit Klaus d'un ton soucieux, tout en se débattant avec le loquet. Je ne comprends pas comment les autres peuvent vouloir se joindre à une bande capable d'horreurs pareilles.

— Les pauvres, ils sont tellement heureux d'être traités comme des gens normaux, pour une fois !

Violette jeta un coup d'œil dans la fosse. L'un des lions venait d'entrouvrir un œil, mais manifestement ces humains hors d'atteinte ne lui semblaient d'aucun intérêt.

— C'est peut-être pour ça que l'homme aux crochets travaille pour Olaf, soupira-t-elle. Et le chauve au long nez aussi. Peut-être qu'ils ont voulu se faire embaucher ailleurs et qu'on leur a ri au nez.

— Ou peut-être qu'ils trouvent du plaisir à commettre des crimes.

— C'est une autre possibilité, concéda Violette, fronçant les sourcils sur les entrailles du wagonnet. Si seulement j'avais la trousse à outils de maman ! Dedans, il y avait cette petite clé à molette que j'adorais, et qui serait parfaite ici.

— Maman te serait plus utile que moi, c'est sûr, reconnut Klaus. Je ne comprends rien à ce que tu fais.

— Tu ne t'en tires pas si mal, allons. Surtout pour quelqu'un qui partage ma chemise. Et toi, Prunille, tu avances, avec tes tiges de lierre ?

— Lesoint, répondit Prunille, ce qui voulait dire : « J'ai presque fini. »

— Bon boulot, dit Violette, jaugeant d'un coup d'œil la hauteur du soleil. L'ennui, c'est que je ne sais pas combien de temps il nous reste. En ce moment même, sans doute, Olaf est avec Mme Lulu, en train de demander à la boule de cristal où nous pouvons bien être. J'espère que Mme Lulu ne va pas lui donner ce qu'il désire. Tu veux bien me passer ce bout de métal qui est là, dans l'herbe, Klaus, s'il te plaît ? On dirait un morceau de rail, mais je vais m'en servir pour la direction.

— J'espère surtout que Mme Lulu va pouvoir nous aider un peu, dit Klaus, tendant le bout de rail à sa sœur. Ce serait tellement mieux de savoir si l'un de nos parents est vivant sans devoir partir à l'aventure dans des montagnes.

— Surtout que partir à l'aventure n'est pas le meilleur moyen de trouver, fit remarquer Violette. Et si l'un de nos parents était effectivement en vie et qu'il venait nous chercher ici, justement ?

— Vous vous souvenez, à la gare ? demanda Klaus, et Violette fit oui sans lever les yeux de son travail.

— Izoubac ? répondit Prunille, apportant ses tiges de lierre effeuillées.

Par izoubac elle entendait bien sûr : « À la gare ? Aucun souvenir ! », ce qui n'avait rien d'étonnant puisque l'incident remontait au temps où elle n'était pas encore née.

Ce jour-là, les parents Baudelaire avaient emmené leurs aînés en week-end dans un vignoble, une sorte de gîte rural tenu par des vignerons qui aimaient recevoir des invités. L'endroit était réputé non seulement pour son vin, mais aussi pour l'odeur exquise de son raisin mûr. Au temps des vendanges, pique-niquer là était un véritable délice de Capoue. On s'y enivrait de parfums sucrés, tandis que les gentils ânes de la ferme, ceux qui transportaient le raisin, faisaient la sieste à l'ombre d'une tonnelle prise d'assaut par les vignes.

Pour se rendre en ce lieu, il fallait prendre le train. Comme la ligne n'était pas directe, le quatuor Baudelaire devait changer de train dans une grande gare, non loin de La Falotte. Or, ce jour-là, dans la cohue des passagers cherchant leur correspondance, Violette et Klaus, encore petits, s'étaient retrouvés séparés de leurs parents. Sans paniquer, ils avaient décidé de se lancer à leur recherche dans le centre commercial de la gare. Bientôt, le cordonnier de l'endroit, puis le forgeron, puis le rémouleur, puis le vendeur d'ordinateurs s'étaient mis en quête des parents Baudelaire. Toute la famille s'était finalement trouvée réunie, mais le père de Klaus et Violette leur avait fait la leçon :

— Dorénavant, si vous nous perdez, c'est bien simple : restez où vous êtes !

— Oui, avait renchéri leur mère. Ne partez pas à notre recherche. C'est à nous de vous chercher. Promis ?

Les enfants avaient promis. La promesse, en principe, était toujours valable, puisque dorénavant signifie : « à partir de maintenant, sans limite de durée ». Mais les temps avaient changé. Quand les parents Baudelaire avaient dit : « si vous nous perdez », ils entendaient par là « dans une foule », telle cette gare noire de monde – où j'ai déjeuné voilà peu, et discuté avec le fils du cordonnier qui se souvenait fort bien de l'incident. À l'évidence, « si vous nous perdez » ne sous-entendait pas « dans un terrible incendie dont nous pourrions ne pas réchapper ».

Non, la recommandation n'était pas valable dans tous les cas. Certes, il est des occasions où il vaut mieux rester où l'on est, et laisser venir à soi ce qu'on espère. Mais il en est d'autres où il faut courir le monde, se démener, remuer ciel et terre. Tout comme les enfants Baudelaire, je me suis parfois trouvé dans des lieux où rester sur place eurait été aussi stupidement dangereux que dangereusement stupide. Je me suis trouvé un jour dans un grand magasin où un petit mot, griffonné sur une étiquette de prix, me recommandait de fuir au plus vite après avoir changé de tenue. Je me suis trouvé assis dans un aéroport et j'ai entendu une annonce qui me recommandait de partir, mais sur un autre vol que prévu. Et je me suis trouvé au pied du grand huit de Caligari, sachant ce que les enfants Baudelaire ignoraient en ce matin tranquille. J'ai examiné les wagonnets, noirs de cendres et à moitié fondus. J'ai inspecté le fond de la fosse creusée par les sbires d'Olaf et j'ai vu les os calcinés dans les décombres. J'ai farfouillé parmi les éclats de verre et de miroir, là où s'était dressée la tente de Mme Lulu. Toutes ces recherches m'ont mené à une certitude, une seule. Et si je pouvais me glisser hors du temps aussi facilement que je pourrais me glisser hors de mes vêtements, j'irais là-bas, ce matin-là, je longerais la fosse aux lions pour gagner le pied du grand huit et je dirais aux enfants Baudelaire tout ce que j'ai découvert. Mais bien sûr cela m'est impossible. Je ne peux qu'accomplir mon devoir et taper ce récit à la machine, le plus fidèlement possible, jusqu'au dernier mof.

— Mof, conclut Prunille lorsque ses aînés eurent achevé de lui conter l'épisode ; autrement dit : « Je ne crois pas que rester ici soit une très bonne idée. Je crois même qu'on ferait bien de partir tout de suite. »

— Impossible, déclara Violette. Le système de direction est en place et le deuxième wagonnet arrimé au premier, d'accord. Mais sans courroie, pas de moteur. Donc, maintenant, ce qu'il faut faire, c'est foncer à la tente de Mme Lulu et démonter sa machine à éclairs.

— Olaf ? s'alarma Prunille.

— Espérons que Mme Lulu l'a déjà congédié, sinon ça risque d'être juste. Il faut que cet engin soit au point avant le début du spectacle, qu'on puisse le planquer quelque part, prêt à partir...

Un grondement très bas s'éleva de la fosse. Les enfants se retournèrent. Les lions avaient presque tous ouvert l'œil et ne semblaient pas enchantés de se voir au fond d'un trou. Les plus vaillants tentaient d'arpenter cette prison, chancelants sur leurs pattes engourdies, mais ils trébuchaient sur leurs congénères, ce qui ne mettait aucun d'eux de bonne humeur.

— J'ai l'impression qu'ils ont faim, dit Klaus. Je me demande combien de temps il reste avant

l'heure de leur repas.

— Taki, répondit Prunille ; c'est-à-dire : « Pas une seconde à perdre. »

Et les trois enfants, sans perdre une seconde, longèrent à nouveau la fosse pour gagner la tente de Mme Lulu. Chemin faisant, dans les allées, ils croisèrent les premiers visiteurs, que leur monstruosité mit en joie.

— Vous avez vu ? lança un moustachu en bermudas. Des monstres ! Ne ratons pas le repas des fauves, tout à l'heure. Il paraît qu'un monstre va se faire dévorer.

— J'y compte bien ! glapit sa voisine. Qu'on n'ait pas fait pour rien tous ces kilomètres en pleine campagne !

— D'après la dame à l'entrée, assura un autre – arborant un t-shirt Caligari Folies tout droit sorti du magasin de souvenirs –, une journaliste du *Petit pointilleux* est venue spécialement pour cette grande première.

— *Le petit pointilleux* ? gloussa une dame. Génial ! Je le lis tous les jours, surtout depuis cette affaire Baudelaire. Toutes ces histoires de meurtre, c'est génial. On dirait un polar. Moi, les trucs un peu violents, ça me donne des frisons – j'adore !

Son compagnon haussa les épaules.

— Comme tout le monde, pardi. Sans violence, pas d'art, pas de spectacle.

À vingt pas de la tente aux étoiles, les enfants virent une ombre leur barrer le chemin. Ils levèrent les yeux. Le beau garçon boutonneux ricana.

— Tiens donc ! Mais c'est le bébé mi-loup et le monstre à deux têtes ! Comme on se retrouve!

— Enchantée, se hâta de marmonner Violette.

Et elle voulut le contourner, mais il saisit le jabot de la chemise qu'elle partageait avec son frère et ils durent s'immobiliser, de crainte de voir leur déguisement se déchirer.

— Et ta deuxième tête, hein ? Elle dit pas bonjour ? Elle n'est pas ravie de me revoir, elle ?

— Bien sûr que si, assura Klaus, mais nous sommes un peu pressés. Si vous voulez bien nous excuser...

— Pas d'excuse pour les monstres. Aucune excuse pour eux. Tu ferais mieux de cacher une de tes têtes dans un sac, au moins, pour avoir l'air un peu normal!

— Grr, fit Prunille, montrant les dents.

— S'il vous plaît, monsieur, dit Violette, n'approchez pas trop. Chabo est toujours prête à nous défendre, elle pourrait vous mordre.

— Ha ! Vous défendre ! Et contre des lions, qu'est-ce qu'elle fera, Chabo ? Vivement ce spectacle, il me tarde de voir ça, et ma petite maman aussi!

— Pour ça oui, mon lapin, dit la dame à ses côtés.

Elle lui planta un gros baiser sur la joue et les enfants purent constater que les mentons boutonneux se transmettaient de mère en fils.

— À quelle heure est-il, au juste, ce repas des fauves ?

— Le spectacle ? lança une voix. Il va bientôt commencer !

Mère et fils se retournèrent, mais les enfants savaient déjà qui parlait. Campé devant la tente aux étoiles, Olaf avait un fouet à la main et une lueur mauvaise dans les yeux, deux choses qu'ils ne connaissaient que trop bien. Le fouet, ils ne l'avaient vu qu'une fois, la veille – assez pour savoir que le comte savait le manier avec art. La lueur dans les yeux, ils l'avaient vue plus de fois qu'ils ne pouvaient le compter. C'était celle que l'on voit parfois dans les yeux du blagueur qui en raconte une bien bonne. Mais, dans le regard du comte Olaf, elle signifiait plutôt que l'un de ses vilains tours se déroulait à merveille.

— Oui, mesdames et messieurs, le spectacle va commencer sous peu ! annonça-t-il d'une voix forte aux visiteurs qui convergeaient vers lui. Je viens de me faire dire la bonne aventure, et l'aventure est bonne, j'ai eu ce que je désirais.

De son fouet, il désigna la tente aux étoiles, puis il pivota pour désigner les faux monstres et conclut avec un sourire de requin :

— Et maintenant, mesdames et messieurs, il est temps de gagner la fosse aux lions afin de combler vos désirs!

CHAPITRE X

La fosse aux lions ? Allons-y vite ! dit une voix de femme dans la foule. Qu'on puisse se mettre à l'avant pour tout voir.

— Tu as raison, répondit une voix d'homme. Pas la peine que les lions dévorent un pauvre bougre si on ne voit rien.

— Bon sang, on ferait bien de se dépêcher, nous aussi ! dit le beau garçon boutonneux à sa mère. Y a du monde, aujourd'hui.

Les enfants jetèrent un regard à la ronde et virent qu'il disait vrai. La nouvelle du spectacle inédit avait dû se répandre très au-delà de l'arrière-pays, car l'allée principale se faisait fleuve humain.

— Suivez-moi ! lança le comte Olaf, je vais ouvrir la voie. Ce repas des fauves est mon idée, après tout.

— Votre idée ? répéta une dame que les enfants Baudelaire se rappelaient avoir déjà vue.

En tailleur gris souris, elle mâchonnait une gomme à mâcher, un gros magnétophone à l'épaule et un micro à la main... Ah, mais oui ! ils l'avaient vue à la clinique, c'était la journaliste du *Petit pointilleux*.

— Votre idée, dites-vous ? demanda-t-elle au comte, lui tendant son micro. Intéressant, pour mon article. Votre nom, je vous prie ?

— Comte Olaf ! répondit le comte Olaf bien haut.

— Je vois déjà le gros titre. Inédit : le repas des fauves, exclusivité du comte Olaf. Quand les lecteurs du *Petit pointilleux* vont voir ça !

— Comte Olaf, vous êtes sûr ? s'étonna quelqu'un. Je croyais que le comte Olaf avait été assassiné par ces trois petits voyous...

— Mais non, coupa la journaliste. Ça, c'était le comte Omar. Je suis payée pour le savoir, c'est moi qui ai couvert l'affaire pour *Le petit pointilleux*. Le comte Omar a été assassiné par les trois enfants Baudelaire – lesquels courent toujours.

— J'ai une idée ! gloussa quelqu'un dans la foule. Quand on les tiendra, ces petits monstres, on n'aura qu'à les jeter aux lions !

— Je retiens l'idée, commenta Olaf. Mais, en attendant, les lions vont faire leurs délices d'un autre monstre exquis ! Mesdames et messieurs, suivez-moi pour un spectacle sublime de violence et de goinfrerie !

Il y eut des acclamations, et le comte répondit d'une courbette. Puis il ouvrit la voie vers la fosse, au pied du grand huit désaffecté, où les lions s'impatientaient en attendant la suite du programme.

— Et vous aussi, les monstres, suivez ! ordonnat-il aux enfants avec un moulinet de bras. Mes assistants vont amener vos collègues. Tous nos monstres doivent être là pour la grande cérémonie du tirage au sort.

— Laisse, mon Olaf ! Je m'occupe amener monstres, lança Mme Lulu en sortant de sa tente. (À la vue des enfants, elle ouvrit de grands yeux et cacha ses mains dans son dos.) Toi, emmène public à la fosse et donne interview pour journal, excusez, en chemin.

— Oui, dit la journaliste. Je vois déjà le gros titre : Déclaration exclusive du comte Olaf, lequel n'est pas le comte Omar, lequel a été assassiné. Quand les lecteurs du *Petit pointilleux* vont voir ça !

— Ce numéro, les gens vont se l'arracher, prédit Olaf. Parfait. D'accord, Lulu ! Je vais là-bas avec la journaliste. Mais ne tarde pas trop à nous amener tes monstres.

— Non non, mon Olaf, promit Mme Lulu. Venez avec moi, monstres miens, excusez.

Et elle tendit les mains aux enfants, en mère qui fait traverser la rue à sa nichée. L'une de ses paumes portait une étrange traînée noire et l'autre main était fermée en poing serré. Les enfants n'avaient pas plus envie de donner la main à Mme Lulu que de gagner la fosse aux lions, mais il y avait trop de monde autour d'eux, trop de gens déjà surexcités pour faire autre chose qu'obéir.

Prunille prit la main droite de Mme Lulu, Violette lui prit la gauche, et l'étrange trio à quatre têtes se mit en marche d'un pas bancal vers les vestiges du grand huit, tout au fond de l'allée centrale.

— Oli... commença Klaus, mais il retint sa langue à temps ; au milieu de la foule, c'était folie. Je veux dire, madame Lulu, reprit-il, s'inclinant de côté pour parler le plus bas possible. S'il vous plaît, pas si vite. Il faut trouver le moyen de retourner à la tente pour démonter la machine à éclairs.

Mme Lulu ne répondit pas, mais elle fit non de la tête, imperceptiblement, comme pour signifier que l'instant était mal choisi pour aborder le sujet.

— Couroi, rappela Prunille, elle aussi très, très bas.

De nouveau Mme Lulu fit non de la tête.

— Vous avez tenu votre promesse, n'est-ce pas ? chuchota Klaus.

Mais Mme Lulu regardait droit devant elle comme si elle n'avait rien entendu. Alors, sous leur chemise pour deux, Klaus donna un coup de coude à son aînée.

— Dis-le-lui, toi, souffla-t-il. Dis-lui de marcher plus lentement, au moins.

Violette battit des cils vers son frère, puis elle renversa un peu la tête en arrière afin d'attirer le regard de Prunille. La petite leva les yeux vers son aînée, qui hocha la tête très légèrement, comme venait de le faire Mme Lulu, puis désigna du menton sa main droite, celle qui tenait la main de la voyante. Là, entre deux doigts de leur aînée, Klaus et Prunille virent dépasser un bout de lanière noire. C'était la pièce manquante, cette courroie dont Violette avait besoin pour achever de faire d'un wagonnet de grand huit un engin de transport fonctionnel, à défaut d'être fringant. Pourtant, loin de se sentir pleins d'espoir, les enfants éprouvèrent un sentiment bien moins confortable.

Si vous avez un jour éprouvé l'étrange sensation de revivre une situation déjà vécue, comme si la même chose exactement vous était arrivée au moins une fois, alors vous avez fait l'objet d'une « paramnésie », disent les savants, ou du phénomène qu'on nomme, en anglais comme en français, « déjà-vu ». Comme bien des mots français passés dans la langue anglaise, tels ennui, migraine ou sans-culotte, déjà-vu évoque une situation peu plaisante – et, pour les orphelins Baudelaire, il était assez peu plaisant, en effet, d'approcher de la fosse aux lions et d'éprouver cette bizarre sensation de déjà-vu.

À la clinique Heimlich, trois jours plus tôt – était-ce vraiment si récent ? –, les trois enfants s'étaient retrouvés dans une salle d'opération, au milieu d'une foule électrisée par l'attente d'un spectacle violent, une opération à haut risque. À la Société des noirs protégés de la volière, ils s'étaient retrouvés au milieu d'une foule électrisée par l'attente d'un spectacle violent, une exécution au bûcher. Et là, une fois de plus, lorsque Mme Lulu leur lâcha les mains près de la fosse, les enfants se retrouvèrent au milieu d'une foule électrisée par l'attente d'un spectacle violent, un repas de fauves. Une fois de plus, ils risquaient fort de ne pas s'en sortir indemnes. Une fois de plus, ce cauchemar était signé : comte Olaf.

Là-bas, au pied du grand huit drapé de lierre, les deux wagonnets bricolés attendaient. Il n'y manquait plus que la courroie que Violette cachait dans sa paume. Mais tout en leur jetant des coups d'œil furtifs, par-delà la foule et la fosse, les enfants éprouvaient le malaise du déjà-vu et se demandaient si, une fois de plus, leurs beaux projets n'allaient pas s'achever en queue de poisson.

— Mesdames et messieurs, annonça le comte Olaf, bienvenue à notre nouvelle attraction, la plus inédite, la plus palpitante, la plus féroce qui soit au monde!

Et il fit claquer son fouet dans la fosse, sur l'échine des lions à bout de nerfs. Comme prévu, ceux-ci rugirent et montrèrent les crocs.

— Les lions que vous voyez là, clama le comte, sont prêts à mettre en pièces un monstre. Oui, mais lequel?

Alors l'assistance se scinda pour laisser passer l'homme aux crochets, escortant les trois autres monstres de Caligari. Féval, Otto et Bretzella vinrent se ranger au bord de la fosse auprès des enfants. Vêtus de leurs tenues de monstres ordinaires, ils saluèrent les enfants d'un sourire bref, puis se tournèrent vers les lions qui grondaient sourdement.

Enfin, le restant de la troupe fit son apparition, Esmé en rayures fines, une ombrelle sous le bras. Tout sourire pour le public, elle s'assit sur un siège pliant porté par le chauve au long nez. Sous son autre bras, ce dernier tenait une longue planche qu'il plaça en équilibre au bord de la fosse, avec un généreux surplomb, façon plongeoir de piscine. Enfin, les deux dames poudrées de blanc s'avancèrent, tenant à elles deux un coffret doté d'un orifice au sommet.

— Pas fâché d'endosser ce costume pour la dernière fois, chuchota Féval aux enfants, montrant son manteau mal coupé. Vous vous rendez compte?

Bientôt, je vais faire partie de la troupe du comte Olaf. Fini, la vie de monstre!

— Sauf si tu es tiré au sort pour le repas des lions, ne put se retenir de lui rappeler Klaus.

— Tu veux rire? Si c'est moi, je pousse Mme Lulu à ma place, comme nous l'a dit Esmé.

— Mesdames et messieurs, admirez nos monstres! lança le comte Olaf, et des gloussements s'élevèrent. Avez-vous vu Féval et son dos de dromadaire? Bretzella, qui peut se tordre en double huit? Et que dire d'Otto, avec ses deux mains droites? Mais le plus beau est sans doute Beverly-et-Elliot: deux têtes pour un seul corps, qui dit mieux? À moins que ce ne soit Chabo, le bébé mi-loup, erreur de la nature, qui n'a pas su choisir entre l'homme et la bête. On les applaudit très fort, messieurs dames, on les applaudit!

Et les gens applaudirent très fort, mais ils ricanèrent plus fort encore, et sifflèrent et montrèrent du doigt.

— Vous avez vu les dents de la petite? cria une dame qui s'était teint les cheveux de cinq ou six couleurs différentes. Cette enfant a l'air parfaitement débile!

— Ah non! je préfère Otto, répliqua son compagnon à moustache en guidon de vélo. J'espère bien que c'est lui qu'on va pousser dans la fosse. Je serais curieux de le voir se débattre des deux bras à la fois!

— Moi, j'aimerais mieux le monstre aux crochets ! dit une dame dans le dos des enfants. Ça ferait un meilleur spectacle !

— Je ne suis PAS un monstre, madame, éclata l'homme aux crochets. Je suis le bras droit du comte Olaf.

— Oh ! pardon, dit la dame. Dans ce cas, j'aimerais que ce soit le monstre avec des boutons plein le menton.

— Non mais ! protesta le beau garçon. Attention à ce que vous dites. Je fais partie du public, moi, madame. J'ai des problèmes de peau, c'est tout.

— Alors, la créature en tailleur rayé ! suggéra la dame. Ou l'autre, là, avec ses sourcils soudés ?

— Je suis la fiancée du comte Olaf, rétorqua Esmé. Et mon tailleur est *in*, plus que votre robe à pois.

— Moi, ça m'est bien égal de savoir lequel sera mangé, intervint un autre spectateur. Mais j'ai payé pour voir ces lions en manger au moins un.

— Et vous les verrez en manger un ! promit le comte Olaf. Nous allons dès à présent procéder au tirage. Les noms de tous nos monstres ont été inscrits sur de petits papiers et placés dans le coffret que nous présentent ces deux charmantes dames.

Les deux dames poudrées brandirent bien haut le coffret de bois et firent la révérence.

— Je ne vois pas ce qu'elles ont de charmant, grommela Esmé, mais la clameur du public couvrit sa voix.

— Et maintenant, annonça le comte, je vais plonger la main dans ce coffret, tirer l'un des bouts de papier et lire à voix haute le nom de l'élu. Puis ce monstre s'avancera sur la planche, il sautera dans la fosse, et nous verrons si les lions le trouvent à leur goût.

— Ou la trouvent à leur goût, marmotta Esmé, les yeux sur Mme Lulu.

Puis elle se tourna vers les enfants et leurs collègues. Posant son ombrelle sur ses genoux, elle leva ses deux mains griffues et esquissa élégamment le geste de pousser une masse invisible.

— Ou la trouvent à leur goût, très juste, rectifia le comte Olaf, le sourcil en l'air parce qu'il n'avait rien compris à la mimique d'Esmé. Et maintenant, avant de commencer, y a-t-il des questions dans le public ?

— Pourquoi est-ce vous qui faites le tirage ? s'enquit le beau garçon boutonneux.

— Parce que l'idée de ce spectacle est de moi.

— J'ai une question toute bête, lança la dame aux cheveux arc-en-ciel. Est-bien légal ?

— Rooh ! tu ne vas pas commencer, grogna son compagnon. Tu as voulu venir ici, tu y es. Si tu te mets à poser des tas de questions tordues... En plus, c'est jamais que des monstres, je te rappelle. Pas comme si...

— Et la liberté d'expression, alors ? Qu'est-ce que vous en faites ? renchérit leur voisin. La liberté de l'art ?

— Veuillez continuer, Monsieur le Comte, dit la journaliste du *Petit pointilleux*.

— Je continue, déclara Olaf.

Il fit claquer son fouet sur les lions et plongea la main dans le coffret. Puis, avec un sourire maléfique, il fit tourner sa main plusieurs fois à l'intérieur avant de la retirer, un petit papier entre deux doigts, soigneusement plié plusieurs fois.

Les spectateurs allongèrent le cou et les enfants Baudelaire, malgré eux, firent de même. Mais le comte Olaf ne déplia pas le petit papier immédiatement. Il commença par le brandir bien haut.

— Je vais déplier ce papier très, très lentement, annonça-t-il. Juste pour faire monter le suspense.

— C'est du grand art ! exulta la journaliste. Je vois déjà le gros titre : Le comte Olaf fait monter le suspense.

— Vous savez, lui dit le comte, brandissant toujours son petit papier plié, j'ai une longue carrière d'acteur derrière moi. Tenir un public en haleine, ça me connaît. Mentionnez-le, dans votre article.

— Je n'y manquerai pas, dit la journaliste.

Et elle lui tendit son micro plus près encore.

— Mesdames et messieurs, clama Olaf, je vais maintenant commencer à déplier ce papier.

Un murmure parcourut la foule.

Le comte le déplia une fois et annonça :

— Ce papier était plié en trente-deux, il n'est plus plié qu'en seize. Quand j'aurai fini de le déplier, nous connaîtrons le nom de celui qui devra sauter dans la fosse.

— C'est insoutenable, gémit la moustache en guidon de vélo. Je crois que je vais tomber dans les pommes.

— Tâche de ne pas faire ça dans ce trou, lui dit sa femme.

— Ce papier était plié en seize, il n'est plus plié qu'en huit ! annonça le comte Olaf. Quand j'aurai fini...

Les lions rugirent en chœur. Ils n'en pouvaient plus de ce cinéma et de ces histoires de papier plié. Ils attendaient le service. Mais le public vibrait, en transe, et n'accordait plus un regard aux fauves. Le public n'avait d'yeux que pour le maître de cérémonie, lequel dépliait son papier avec une lenteur calculée, envoyant des baisers à la ronde.

Les trois enfants, de leur côté, avaient cessé de suivre l'action. Profitant de l'inattention générale, ils se concertaient tout bas.

— Tu crois qu'on pourrait contourner la fosse et filer jusqu'aux wagonnets ? chuchotait Klaus à son aînée.

— Trop risqué. Trop de monde. Tu crois qu'on pourrait empêcher les lions de dévorer quelqu'un ?

— Impossible, ils ont trop jeûné. D'après ce que j'ai lu, quand les grands félins ont très faim, ils avalent tout ce qui bouge.

— Tu n'as rien lu d'autre sur les lions qui puisse nous être utile ?

— Non. Tu ne vois rien à inventer avec cette courroie ?

— Non plus.

— Déjà-vu ! souffla Prunille à leurs pieds.

Ce qui signifiait, en gros : « Nous pouvons sûrement trouver une idée ! Des foules surexcitées, nous en avons déjà affronté, je vous rappelle. »

— Ça, c'est vrai, dit Klaus. À la clinique, l'autre jour, Violette, on a fait patienter la salle pour retarder ton opération.

— Et à la Société des noirs protégés de la volière, dit Violette, on s'est aidés de ce que tu avais lu sur la psychologie des foules, tu te souviens ? Mais avec ces gens déchaînés, que faire ?

— Lédeu ! murmura Prunille, puis elle gronda fort, au cas où on l'aurait entendue.

— Ce papier était plié en huit, il n'est plus plié qu'en quatre...

Mais je ne vois pas l'utilité de rapporter par le menu tous les boniments d'Olaf, ni de préciser que la foule, une fois de plus, l'acclama comme s'il venait d'accomplir un exploit.

Et je ne vois pas non plus l'utilité de révéler quel était, pour finir, le nom inscrit sur le bout de papier. Si vous avez suivi ce récit jusqu'ici, vous en savez assez sur les enfants Baudelaire pour connaître leur chance légendaire.

Si ces trois-là avaient été dotés d'une chance ordinaire, ils seraient sans doute arrivés à Caligari Folies en autobus climatisé, et ils se seraient bien amusés à faire le tour des attractions. Mais ils étaient arrivés là au fond d'un coffre de voiture, ils avaient dû enfiler des costumes horriblement inconfortables, participer à un spectacle humiliant et prendre des risques insensés dans l'espoir de découvrir une information qu'ils n'avaient même pas découverte. Aussi ne serez-vous pas surpris d'apprendre que, sur ce papier qu'Olaf brandissait, le nom inscrit n'était pas celui de Féval qui attendait le verdict, le dos rond ; ni celui de Bretzella qui ondulait d'angoisse ; ni celui d'Otto qui se rongeait les ongles des deux mains. Vous ne serez pas surpris d'apprendre que, lorsque le comte lut ce nom à voix haute, tous les regards convergèrent vers les enfants déguisés.

Mais même si vous n'êtes pas surpris par les mots que prononça Olaf, parions que vous allez l'être par ceux que prononça l'un des enfants, juste après.

— Mesdames et messieurs, annonça bien haut le comte Olaf, nous avons l'honneur d'annoncer que l'élu du jour qui va s'offrir en pâture aux lions est notre monstre à deux têtes, Beverly-et-Elliot!

— Mesdames et messieurs, annonça bien haut Violette Baudelaire, c'est un grand honneur pour Elliot et moi d'être choisis.

CHAPITRE
XI

Un autre auteur de ma connaissance est, comme moi, tenu pour mort par la plupart de nos contemporains. Son nom est William Shakespeare, et il a écrit des pièces de théâtre que l'on pourrait classer, en gros, dans quatre catégories : les comédies, les histoires d'amour, les pièces historiques et les tragédies.

Les comédies, comme chacun sait, sont des histoires dans lesquelles les gens disent des choses à se tordre et se prennent les pieds dans le tapis.

Les histoires d'amour montrent des gens qui tombent amoureux et finissent généralement par se marier. Les pièces historiques retracent des faits réels, un peu comme mon récit des malheurs des orphelins Baudelaire. Dans les tragédies, enfin, les choses commencent d'ordinaire plutôt bien, mais se gâtent très vite et vont de mal en pis, jusqu'à ce que tous les personnages soient morts, ou estropiés, ou soumis à des désagréments du même ordre. Assister à une tragédie n'a d'ordinaire rien de réjouissant, pas plus pour le public que pour les personnages concernés, et, de toutes les tragédies de Shakespeare, la moins drôle est sans doute Le Roi Lear, qui raconte l'histoire d'un roi en train de perdre la tête tandis que ses filles complotent pour s'entr'assassiner et supprimer tous ceux qui leur tapent sur les nerfs. Vers la fin de la pièce, un personnage déclare en substance que, si les cieux n'envoient pas d'urgence leur service d'ordre, « l'humanité fatalement se dévorera elle-même, pareille aux monstres des abysses ». Et toute la salle, à l'idée que les humains finiront tôt ou tard par s'entre-dévorer comme des calmars géants, se met à sangloter ou pousse un long soupir, ou se promet en silence d'aller plutôt voir une comédie la prochaine fois.

Hélas, à mon immense regret, la remarque un peu déprimante de sir William Shakespeare décrit à la perfection ce que les orphelins Baudelaire avaient sous les yeux, ce jour-là, au bord de la fosse aux lions. Car, tandis qu'ils se creusaient la tête pour tenter d'empêcher la pièce de tourner à la tragédie, il était clair qu'autour d'eux, chacun désirait ardemment la fin violente de son prochain.

Le comte Olaf et sa bande désiraient ardemment voir un monstre se faire dévorer en beauté, afin que le succès du spectacle incite Mme Lulu à les guider vers la fortune. Esmé désirait ardemment voir Mme Lulu se faire pousser dans la fosse, afin que la voyante lui rende son Olaf. Otto, Féval et Bretzella désiraient ardemment complaire à Esmé, afin de se joindre à la troupe. La journaliste du *Petit pointilleux* désirait ardemment un spectacle à sensation, afin de rédiger un article à sensation. Les visiteurs désiraient ardemment se délecter de violence, afin de n'avoir pas fait le déplacement pour rien. Apparemment, tous les représentants du genre humain massés au pied du grand huit ce jour-là brûlaient d'assister à un événement violent – sans parler des représentants du genre léonin, qui brûlaient de se mettre quelque chose sous la dent afin de remplir leurs estomacs creux.

Violette et Klaus, horrifiés, s'avancèrent vers la fosse en feignant de brûler d'envie de sauter dedans.

— Oui, merci, comte Olaf, de nous avoir choisis, Beverly et moi, déclara Klaus noblement, de sa fausse voix flûtée.

— Euh... de rien, bafouilla le comte, un peu saisi. Bon, et maintenant, sautez, qu'on assiste au clou du spectacle.

— Oui, et vite ! cria le beau garçon boutonneux. L'entrée coûtait bien assez cher.

— Attendez ! dit Violette dont les pensées tournaient à plein régime. Au lieu de voir un monstre sauter bêtement dans cette fosse, n'aimeriez-vous pas mieux voir quelqu'un l'y pousser ? Ce serait plus raffiné !

— Grr ! renchérit Prunille.

— Hmm, pas mal vu, dit l'une des dames poudrées.

— Oh oui ! cria la dame aux cheveux arc-en-ciel. Oui, moi, je veux voir ce monstre à deux têtes se faire pousser dans la fosse !

— Tout à fait d'accord, décréta Esmé, son regard de glace sur les deux enfants, puis sur Mme Lulu. Moi aussi, je suis d'avis que pousser quelqu'un, c'est bien davantage tendance !

Le public applaudit avec force. Pendant ce temps, Prunille, pétrifiée, regardait ses aînés s'approcher de la planche.

Quand tout va mal, assurent certains, il faut prendre le temps de réfléchir et trouver la voie du bien. Mais les enfants Baudelaire la connaissaient déjà, la voie du bien. Elle consistait à commencer par expliquer calmement à la foule qu'un spectacle sanguinaire n'a jamais été une attraction foraine digne de ce nom et que le comte Olaf et sa troupe avaient leur place sous les verrous, puis à se ruer sur les wagonnets du grand huit, y installer la courroie et filer à travers l'arrière-pays avec Mme Lulu et ses précieuses archives.

Mais il est des circonstances, en ce monde qui marche sur la tête, où la voie du bien est assez nette mais parfaitement impossible à suivre. Dans ces cas-là, il faut en chercher une autre.

Pour les enfants Baudelaire, entourés d'une foule qui piaffait en attendant le spectacle promis, la voie du bien était une route barrée. En revanche, ils se disaient que, peut-être, s'ils parvenaient à gagner du temps et à jeter la confusion, ils auraient une petite chance de filer à l'anglaise. Ils n'auraient pas juré que manœuvrer de la sorte s'apparentait à la voie du bien, mais ils ne voyaient pas d'autre voie... et leur plan semblait marcher.

— Merveilleux ! jubilait la journaliste. Je vois déjà le gros titre : Monstre poussé dans la fosse aux lions ! Quand les lecteurs du *Petit pointilleux* vont voir ça !

Prunille gronda aussi fort qu'elle put et, de l'un de ses petits doigts, elle désigna le comte Olaf.

— Ce que Chabo veut dire, traduisit Klaus, c'est que l'honneur de nous pousser dans la fosse devrait revenir au comte Olaf. Après tout, ce spectacle est son idée.

— Très juste ! s'écria le beau garçon boutonneux. À lui de pousser Beverly-et-Elliot dans la fosse !

Le comte torpilla les enfants du regard, puis il se tourna vers la foule avec son grand sourire dents jaunes.

— Je suis très honoré, dit-il en s'inclinant, mais hélas ! il me faut refuser.

— Et pourquoi donc ? s'informa la dame aux cheveux arc-en-ciel.

Le comte plaça deux doigts sous son nez et feignit d'étouffer un éternuement aigu, aussi faux que le grognement de Prunille.

— Je suis atch... allergique aux félins, voyez-vous ? Tenez, même à cette distance, j'éternue déjà. Que serait-ce si je m'avançais sur la planche ?

— Vos allergies ne vous ont pas gêné pour fouetter les lions, insinua Violette.

— Exact, dit l'homme aux crochets. Je ne te savais pas allergique, Olaf.

Le comte le fusilla des yeux.

— Mesdames et messieurs... commença-t-il.

Mais la foule n'avait nulle envie de discours.

— Poussez le monstre, Olaf ! cria quelqu'un, et ce fut un concert d'acclamations.

Le comte se renfrogna, mais il prit la main de Klaus et, sous les rugissements mêlés de la foule et des fauves, il fit mine d'entraîner le monstre à deux têtes vers la planche.

Mais décidément, pas plus que les enfants, il ne tenait à approcher de cette fosse. Sitôt sur la planche, il s'arrêta et dit d'une voix mal affermie :

— Le problème, c'est que nourrir des lions n'est vraiment pas de mon ressort. Mon métier à moi, c'est acteur.

— J'ai une idée, dit alors Esmé de sa voix la plus suave. Madame Lulu, ne serait-ce pas plutôt à vous de pousser votre monstre aux lions ?

— Ce n'est pas métier mien, excusez, protesta Mme Lulu, les yeux sur les enfants. Je suis voyante, pas pousseuse de monstres.

— Ne soyez donc pas si modeste, madame Lulu, dit le comte Olaf. Certes, c'est moi qui ai eu l'idée de ce spectacle. Mais vous êtes la patronne ici, à Caligari Folies. Veuillez accepter ma place sur cette planche et passons à l'essentiel : nourrir ces lions.

— Quelle générosité ! s'écria la journaliste. Vous êtes un homme de cœur, comte Olaf!

— Oui ! Oui ! regardons Mme Lulu pousser son monstre dans la fosse ! s'enthousiasma le beau garçon boutonneux, et les acclamations fusèrent de plus belle.

La psychologie des foules était à l'œuvre. Plus la tension montait, plus le public semblait influençable. Mme Lulu, mal à l'aise, remplaça le comte Olaf sur la planche, sous un tonnerre d'applaudissements.

Sous l'effet du changement de poids, le long tremplin oscilla vivement. Violette et Klaus durent se tortiller pour conserver leur équilibre. La foule se tut, fascinée, puis elle eut un soupir déçu en voyant le monstre à deux têtes se rétablir de justesse.

— Que d'émotions ! glapit la journaliste. Peut-être que Mme Lulu va plonger dans la fosse, elle aussi ?

— Peut-être, peut-être, marmotta Esmé.

— Moi, ça m'est bien égal, que ce soit l'un ou l'autre ! s'impatienta le beau garçon boutonneux. (Il jeta le fond de sa bière sur les lions, qui lui firent savoir leur mécontentement.) Pour moi, une voyante en turban ou un monstre à deux têtes, c'est la même chose !

— Pour moi aussi ! Pas de préjugés ! renchérit la moustache en guidon de vélo. Mais que le spectacle commence, nom d'un chien ! Allez, madame Lulu, poussez-nous ce monstre dans la fosse !

— Oh ! elle va le faire, gloussa le chauve au long nez. Ils vont tous finir par filer doux. Que faire d'autre ?

Violette et Klaus atteignaient le bout de la planche et cherchaient fiévreusement une réponse à cette question. Sous leurs pieds grouillait une masse indistincte de lions affamés, fatras de gueules béantes et de griffes labourant l'air ; autour d'eux grouillait une masse indistincte de spectateurs hystériques attendant le clou du spectacle. Les trois enfants avaient réussi à jeter la confusion dans cette foule, mais ils attendaient toujours l'occasion d'en profiter pour s'éclipser. Et à présent il semblait bien que cette occasion ne se présenterait pas.

Dans leur col à jabot, Violette tourna la tête vers son frère. Klaus répondit en battant des paupières, et Prunille, atterrée, vit leurs yeux luire de larmes.

— Notre chance est au bout du rouleau, j'en ai peur, murmura Violette.

— Arrêtez de chuchoter entre vos têtes ! aboya le comte Olaf. Madame Lulu, veuillez pousser ce monstre à la fosse immédiatement !

— On fait monter le suspense ! cria Klaus au désespoir.

— Il est déjà bien assez monté ! rétorqua le beau garçon boutonneux. On en a marre de tous ces trucs pour différer la représentation !

— Entièrement d'accord ! cria la dame aux cheveux arc-en-ciel.

— Absolument ! lança un autre spectateur. Monsieur Olaf, s'il vous plaît, un petit coup de fouet à Mme Lulu, qu'elle accélère le mouvement !

— Encore une minute, excusez ! implora Mme Lulu.

Elle fit un pas de plus sur la planche. À nouveau le tremplin oscilla, à nouveau les lions rugirent, persuadés que le repas allait enfin être servi.

Le regard en feu, Mme Lulu cherchait à signifier quelque chose aux enfants. Sous sa robe changeante, ils virent ses épaules se soulever, oh! à peine.

— Bon, ça suffit! mugit l'homme aux crochets, s'avançant à son tour. Je vais les pousser moi-même, patron, si c'est comme ça. De toute évidence, ici, y a que moi d'assez culotté pour le faire!

— Sûrement pas! protesta Féval. Moi aussi! Et Bretzella aussi, et Otto.

— Des monstres, culottés? ricana l'homme aux crochets. Laissez-moi rire!

— Parfaitement, s'entêta Féval, nous avons du culot. Du toupet. Des tripes. Et tout. Comte Olaf, s'il vous plaît, laissez-nous vous le prouver, et vous pourrez nous engager!

— Vous engager? répéta le comte, interloqué.

— Quelle merveilleuse idée! s'extasia Esmé, comme si l'idée n'était pas d'elle.

— Oui, nous engager! confirma Bretzella. Nous avons très envie de changer d'emploi, ce serait la chance de notre vie.

Otto s'avança, les mains en avant.

— Je suis un monstre, c'est entendu. Mais je saurai me rendre utile, monsieur le comte, au moins autant que votre homme aux crochets ou que votre assistant chauve. Je dirais même deux fois plus!

— Quoi? s'étrangla le chauve au long nez. On aura tout entendu!

— Parfaitement, je peux me rendre utile! s'obstina Otto. Attendez un peu, que je vous le prouve.

— C'est pas bientôt fini, ces salades? cria le beau garçon boutonneux. On n'est pas venus ici pour entendre vos problèmes de boulot!

— Vous nous déconcentrez, ma deuxième tête et moi, dit Violette de sa fausse voix grave. Quittons cette planche et allons discuter de tout ça au calme.

— Discuter au calme? Merci bien! s'offusqua la dame aux cheveux arc-en-ciel. C'est pas pour ça qu'on a payé! Ça, on peut l'avoir à la maison!

— Absolument, approuva la journaliste du *Petit pointilleux*. En plus, Discussions au calme, c'est un très, très mauvais titre! Bon et maintenant, que quelqu'un pousse quelqu'un dans cette fosse, c'est notre désir à tous!

— Madame Lulu s'en charge, excusez! lança Mme Lulu d'une voix vibrante.

Et elle saisit Violette et Klaus par leur col de chemise.

Les enfants levèrent les yeux vers elle. Une larme perlait à ses cils, et elle se pencha vers eux.

— Pardon, enfants Baudelaire, chuchota-t-elle très bas, sans aucune trace d'accent.

Puis elle plongea la main dans celle de Violette et lui arracha la courroie.

Prunille fut si outrée qu'elle en oublia de grogner.

— Traizon ! cria-t-elle de sa petite voix aiguë ; autrement dit : « Vous devriez avoir honte ! »

Mais si la fausse voyante eut honte, elle n'en laissa rien voir.

— Madame Lulu dit toujours : il faut donner aux gens ce qu'ils désirent, déclara-t-elle bien haut, de sa voix déguisée. Elle va faire le pousser, excusez, et elle va le faire tout de suite !

— Madame Lulu, laissez ! dit Féval, s'élançant vers elle. Je m'en charge !

— Jamais de la vie, intervint Bretzella, ondulant vers Lulu. C'est moi !

— Non, moi ! s'écria Otto. Des deux mains !

— J'avais dit que ce serait moi ! rugit le chauve au long nez, lui barrant le chemin. Jamais je n'accepterai un monstre pour confrère !

— Non, moi ! rugit l'homme aux crochets.

— Moi ! se décida l'une des dames poudrées.

— Moi ! se décida la deuxième.

— Les monstres, faites vite et faites bien ! siffla Esmé, lâchant son ombrelle.

Le fouet du comte Olaf claqua dans les airs – un coup sec à faire rentrer toutes les têtes dans les épaules.

— Silence ! mugit-il, et les toiles de tente frémirent. Vous n'avez pas honte, tous autant que vous êtes, de vous chamailler de la sorte ? Et pendant ce temps-là, nos lions meurent de faim ! Bon, et maintenant, je veux voir ces fauves passer à table immédiatement. Quiconque aura le courage d'exécuter mes ordres aura droit à une récompense toute particulière!

Ce n'était là, bien sûr, que la sempiternelle tactique olafienne, la carotte et le bâton. Mais l'effet dépassa les espérances du comte. Au mot de « récompense », le public à son tour se jeta dans la mêlée. En un clin d'œil, une simple foule de fête foraine – tout juste portée sur les sensations fortes – se mua en meute de forcenés, tous volontaires pour précipiter leur prochain dans la fosse, sous prétexte d'assurer le spectacle.

Le résultat fut un pandémonium, mot signifiant ici : « mêlée diabolique et indescriptible ». Féval plongea en avant afin de pousser Mme Lulu, mais il heurta le coffret que tenaient les deux dames poudrées, et tous trois roulèrent au bord de la fosse. L'homme aux crochets voulut empoigner Violette et Klaus, mais l'un de ses crochets se prit dans le fil du micro de la journaliste et tous deux firent un tour de valse. Bretzella se contorsionna pour saisir Lulu par les pieds, mais elle attrapa une cheville d'Esmé par erreur et s'entortilla le poignet autour de son talon bobine. La dame aux cheveux arc-en-ciel, décidant de tenter sa chance, se rua sur les aînés Baudelaire, mais ils l'évitèrent d'un saut de côté et la dame bascula sur son mari, qui se rattrapa d'un moulinet de bras, giflant par mégarde le beau garçon boutonneux, à la suite de quoi tous les trois échangèrent des mots vifs et de plus en plus vifs. D'autres se mêlèrent à la querelle, d'autres se mêlèrent d'intervenir. Moins d'une minute après la déclaration du comte Olaf, les enfants Baudelaire se retrouvèrent au cœur d'une marée humaine en folie, s'injuriant, se tapant dessus, se dévorant elle-même, pareille aux monstres des abysses. Pendant ce temps, dans la fosse, les lions hurlaient leur désespoir.

Mais soudain, leurs rugissements se firent suraigus. Puis des sons nouveaux montèrent de la fosse – un mélange de crissements, de craquements mille fois plus horribles encore que le concert de feulements.

L'émeute s'arrêta net. La foule retint son souffle, intriguée par ces bruits. Mais les enfants avaient compris. Ils ne souhaitaient pas en voir davantage. Les mains sur les yeux, à l'aveuglette, ils se frayèrent un chemin à contresens de la marée qui se déportait vers le bord de la fosse.

Sortis de la mêlée, ils s'immobilisèrent, Prunille cramponnée à ses aînés. Mais ils n'avaient pas pris assez de distance. Ils entendaient toujours ces bruits odieux et la rumeur de la foule hypnotisée autour de la fosse. Alors, osant à peine rouvrir les yeux, ils repartirent au hasard, les jambes molles.

De toute manière, ne plus entendre ne suffisait pas. Car les trois enfants, bien sûr, pouvaient encore imaginer la scène, ils l'imaginaient malgré eux, ils en étaient hantés déjà, tout comme j'en suis hanté aussi, bien que je n'aie pas été là-bas ce jour-là, bien que je me sois contenté d'en lire des récits et des rapports d'enquête.

D'après *Le petit pointilleux*, c'est Mme Lulu qui tomba la première. Mais les articles de journaux ne sont pas toujours dignes de confiance, et il m'est donc impossible d'affirmer que tel fut le cas. Peut-être en effet tomba-t-elle la première, suivie du chauve au long nez. Mais peut-être aussi parvint-elle à le pousser, pour perdre l'équilibre aussitôt et le rejoindre dans la fosse. Ou peut-être leur corps-à-corps fit-il osciller la planche si fort qu'ils tombèrent à l'unisson. Selon toute vraisemblance, je n'en saurai jamais rien, pas plus que je ne saurai ce qu'il est advenu de cette fameuse courroie, quand bien même je reviendrais cent fois sur le site de Caligari Folies.

Cela dit, je peux imaginer que cette précieuse lanière de caoutchouc alla finir très exactement où finit celle qui l'avait donnée aux enfants, puis reprise à la dernière minute – là où finit aussi le sbire d'Olaf alléché par l'appât de la récompense.

Oui, si je ferme les yeux, comme les enfants fuyant les lieux du drame, je peux parfaitement imaginer que c'est là que l'objet trouva sa fin, tout comme le chauve au long nez, tout comme mon ancienne consœur Olivia : au fond de la fosse creusée par Olaf et ses hommes – je n'ai pas dit au fond du gouffre, donc cette fois-ci ne compte pas.

CHAPITRE
XII

Lorsque les trois enfants osèrent rouvrir les yeux, ils découvrirent que leurs pas errants les avaient menés devant l'entrée de la tente de Mme Lulu, où l'œil, emblème de S.N.P.V. les regardait fixement.

La fosse aux lions ayant drainé tout Caligari Folies, public et forains réunis, les enfants se retrouvaient seuls, et une fois de plus nul n'était là pour les voir plantés devant cette tente, sous le choc, tremblant et pleurant sans bruit.

Ils observaient le motif surmontant l'entrée, espérant vaguement voir surgir un indice, un signe leur indiquant que faire. Mais ils eurent beau scruter, rien ne parut changer. L'endroit était paisible, l'après-midi tirait à sa fin et l'œil peint sur la tente observait, impassible, les trois enfants en pleurs.

— Je me demande où est cette courroie, maintenant, murmura enfin Violette d'une voix rauque. (Ses larmes avaient tari, mais elle grelottait comme si elle avait froid.) Je me demande si elle est tombée par terre, si elle a été jetée dans le lierre du grand huit ou si elle a fini...

— Comment peux-tu songer à une courroie dans un moment pareil ? demanda Klaus.

Mais le ton était sans colère. Comme son aînée, il tremblait encore dans leur chemise à jabot. Et il se sentait épuisé, comme ça arrive souvent après qu'on ait pleuré.

— Je ne veux penser à rien d'autre, répondit Violette. Je ne veux pas penser à Mme Lulu et aux lions. Je ne veux pas penser au comte Olaf et à la foule. Je ne veux pas penser à la question de savoir si nous avons bien agi ou non.

— Bien, dit Prunille d'une voix douce.

— Je suis d'accord, affirma Klaus. Nous avons fait de notre mieux.

— Pas sûr, répondit Violette. J'avais la courroie dans la main. C'était tout ce qui nous manquait pour achever mon bricolage et fuir cet endroit horrible.

— Mais tu n'aurais jamais eu le temps de l'achever, ton bricolage. Nous étions entourés d'une foule en folie, qui voulait à tout prix voir les lions dévorer quelqu'un. Ce n'est pas notre faute si Mme Lulu est tombée à notre place.

— Et chauv, murmura Prunille.

— Mais nous avons excité la foule encore un peu plus, dit Violette. D'abord, en retardant le spectacle, ensuite en inventant ce truc : pousser...

— L'inventeur de cette histoire d'horreur, c'est le comte Olaf, estima Klaus. Ce qui est arrivé à Mme Lulu, c'est sa faute à lui, pas la nôtre.

— Nous avions promis de l'emmener avec nous, reprit Violette. Elle, elle avait tenu sa promesse, ne pas dire à Olaf qui nous étions. Et nous, nous n'avons pas tenu la nôtre.

— Nous avons essayé, rappela Klaus. Nous avons vraiment essayé.

— Essayer ne suffit pas. Allons-nous seulement essayer de retrouver papa et maman ? Seulement essayer de vaincre Olaf ?

— Mieu, déclara Prunille d'un ton ferme, et elle noua ses petits bras autour de la jambe de Violette.

L'aînée regarda sa cadette et ses yeux s'emplirent de larmes.

— Que faisons-nous ici ? dit-elle. Nous pensions qu'en nous déguisant, nous ferions avancer les choses, mais elles ont encore empiré. Nous ne savons toujours pas ce que peut bien être S.N.P.V. Nous ne savons toujours pas où peut bien être le dossier Snicket. Et nous ne savons même pas si, oui ou non, l'un de nos parents est en vie.

— Pas mal de renseignements nous manquent, c'est vrai, reconnut Klaus. Mais ce n'est pas une raison pour baisser les bras. Ce que nous voulons savoir, nous pouvons le chercher. Le chercher et le trouver.

Violette sourit à travers ses larmes.

— Ça, c'est tout toi, dit-elle. Les recherches, ça te connaît.

Klaus se contorsionna et, par leur col à deux cous, il sortit ses lunettes.

— Parfaitement, dit-il, les calant sur son nez. Les recherches, c'est mon rayon. Au boulot!

Là-dessus, soulevant le rabat de la tente, il entraîna Violette à l'intérieur.

— Sumer! s'écria Prunille, ce qui signifiait : « Je les avais presque oubliées, moi, ces archives sous la table! »

Et elle suivit ses aînés.

À l'évidence, Mme Lulu avait fait des préparatifs en vue de sa fuite avec eux. Les enfants eurent le cœur serré de penser que jamais elle ne reviendrait prendre ce qu'elle avait laissé là. Son coffret de maquillage attendait près de la porte. Devant le placard, une boîte débordait de provisions pour le voyage. Sur la table, en compagnie d'une boule de cristal flambant neuve et de la machine à éclairs désossée, s'étalait une grande feuille de papier tout écornée qui semblait avoir beaucoup de vécu, mais les enfants comprirent aussitôt qu'elle pouvait leur être précieuse.

— Hé! on dirait bien une carte, dit Violette. Mais oui : une carte des monts Mainmorte! Elle devait avoir ça dans ses papiers.

Klaus remonta ses lunettes sur son nez.

— Bigre! dit-il, elles sont sacrément hautes, ces montagnes. Il ne doit pas y faire chaud, à cette saison. Je ne croyais pas qu'elles atteignaient une telle altitude.

— Laisse tomber l'altitude, dit Violette. Trouve-nous plutôt ce fameux quartier général dont parlait Mme Lulu.

— Hmmm. Voyons voir... Il y a bien une étoile près de la passe Plath, mais, d'après la légende, une étoile marque l'emplacement d'un camping.

— Léjand? s'enquit Prunille.

— Oui, cette espèce de petit tableau, là, dans le coin, expliqua Klaus. Tu vois? La légende d'une carte, ça montre à quoi correspond chaque symbole – chaque petit dessin, si tu préfères. Par exemple, au lieu d'écrire : « camping », on met une petite étoile. Ça prend moins de place et la carte est plus claire.

— Il y a une espèce de rectangle noir, là, sur la chaîne de Richter, dit Violette. Tu le vois ? En haut, à l'est ?

Klaus consulta de nouveau la légende.

— Apparemment, les rectangles noirs, ce sont des sites d'hibernation. Pour les ours, j'imagine. Dites donc, il doit y en avoir, des ours, par là-bas ! Regardez ça : cinq sites d'hibernation près des sources Muettes, et tout un petit paquet sur le pic Pennury.

— Et encore un ici, dit Violette. Au milieu du Sous-bois aux neuf percées à tout vent, là où on dirait que Mme Lulu a fait tomber une goutte de café.

— Sous-bois aux neuf percées à tout vent... répéta Klaus.

Les trois enfants se penchèrent sur la tache de café. Le Sous-bois aux neuf percées à tout vent était situé très haut dans les montagnes. Il devait y faire très froid. La rivière Frappée prenait sa source là, puis serpentait vers la mer à travers l'arrière-pays, traçant des méandres de plus en plus amples. Une kyrielle de sites d'hibernation ponctuait son cours. Au cœur de la vallée, la petite tache brunâtre tombait au point de jonction de plusieurs grandes percées à travers le massif, mais rien, nulle part, n'indiquait l'emplacement d'un Q. G., ni d'ailleurs quoi que ce fût d'autre.

— Sous-bois aux neuf percées à tout vent...

S.N.P.V., murmura Violette. Vous croyez qu'il y a un rapport ? Ou c'est une pure coïncidence, comme toutes celles qu'on a rencontrées jusqu'ici ?

— Mais je croyais que le V de S.N.P.V. correspondait à volontaire, dit Klaus. D'après les carnets Beauxdraps, en tout cas, et d'après ce qu'avait dit Jacques Snicket.

— Ivraie ? demanda Prunille ; autrement dit : « Mais où pourrait bien se trouver ce Q. G., à part à cet endroit ? Il n'y a rien d'autre de marqué, sur cette carte ! »

— Tu sais, fit observer Violette, si les S.N.P.V. forment une société secrète, ils n'ont peut-être pas très envie d'indiquer l'emplacement de leur Q. G. sur une carte.

— Ou alors ils l'indiquent, mais en code secret, compléta Klaus, rapprochant le nez de la carte pour inspecter l'éclaboussure brune. Peut-être que ce truc-là n'est pas une simple tache. Peut-être que c'est une marque secrète. Peut-être que Mme Lulu a déposé ici une gouttelette de café tout exprès, pour être capable de retrouver le Q. G. sans que personne d'autre ne le sache.

Violette poussa un long soupir.

— Il va falloir aller là-bas, j'en ai peur. Vérifier par nous-mêmes.

— Aller là-bas, mais comment ? Nous ne savons même plus où est cette courroie.

— Pas mal de pièces nous manquent, c'est vrai, reconnut Violette. Mais ce n'est pas une raison pour baisser les bras. Je peux bricoler autre chose.

— Ça, c'est tout toi, dit Klaus. Inventer, ça te connaît.

Avec un début de sourire, Violette tira son ruban de sa poche.

— Bon, je vais fureter un peu, voir si je trouve une courroie de secours, quelque chose. Pendant ce temps-là, Klaus, tu devrais faire tes recherches sous cette table.

— D'accord, mais pour ça, il faut retirer nos déguisements. Sans ça, je nous vois mal nous activer chacun de notre côté.

— Ingrédi, annonça Prunille ; c'est-à-dire : « Et moi, pendant ce temps, je jette un coup d'œil à ces vivres et je prépare nos petites provisions de route. »

— Bonne idée, dit Violette, mais dépêchons-nous, maintenant, parce que si quelqu'un nous trouve ici...

— Aha ! vous voilà donc ! lança une voix depuis l'entrée.

Les enfants firent un bond en l'air. En hâte, Violette fourra son ruban dans sa poche, en hâte, Klaus retira ses lunettes, et tous deux se retournè-rent d'un bloc, façon monstre à deux têtes.

Olaf et Esmé s'encadraient dans l'entrée, tendre-ment enlacés, l'air harassés mais heureux. Pour un peu, on les aurait pris pour deux parents revenant du travail, au lieu d'un duo de criminels regagnant la tente d'une voyante défunte après un après-midi de vilenie. Esmé tenait à la main un petit bouquet de lierre sans doute offert par son prince charmant, et Olaf tenait une torche enflammée, qui luisait du même éclat que ses petits yeux mauvais.

— Dites ! On vous cherchait, vous autres ! On peut savoir ce que vous faites ici ?

— Bonne nouvelle, les monstres, enchaîna Esmé. Vous êtes tous engagés dans la troupe ! Pourtant, avouez, on ne peut pas dire que vous ayez brillé par le courage, à la fosse aux lions.

— Engagés ? dit Violette en hâte. Oh ! c'est très gentil, merci, mais vous n'avez rien à faire de trouillards comme nous.

— Si, si, absolument ! assura Olaf avec son sourire machiavélique. Nous n'arrêtons pas de perdre du personnel, des bras de rechange ne seront pas de refus. J'ai même proposé à la dame du magasin de souvenirs de se joindre à nous, mais elle n'a pas compris que la chance frappait à sa porte.

— Par-dessus le marché, ajouta Esmé en caressant les cheveux d'Olaf, ce n'est pas comme si vous aviez le choix. Nous allons brûler l'endroit pour éliminer toute trace de notre passage. La plupart des tentes sont déjà en feu, le personnel et les visiteurs sont en train d'évacuer les lieux. Où comptez-vous aller, si vous ne nous suivez pas ?

Les enfants échangèrent un regard de détresse.

— Vous n'avez peut-être pas tort, murmura Klaus.

— Bien sûr que nous n'avons pas tort, dit Esmé. Et maintenant, ouste ! Venez nous aider à charger la voiture.

— Hé mais ! s'écria le comte, gagnant la table à grands pas. C'est bien une carte que je vois là ?

— C'est une carte, reconnut Klaus, regrettant de ne pas l'avoir empochée plus vite. Une carte des monts Mainmorte.

— Des monts Mainmorte ? glapit le comte avec un intérêt redoublé. C'est là que nous allons, justement ! D'après Lulu, si l'un des parents Baudelaire est en vie, il ne peut être que là ! Est-ce que cette carte indique un Q. G. quelconque ?

— Ces petits rectangles, là, ça n'en serait pas, par hasard ? suggéra Esmé par-dessus l'épaule d'Olaf. Je suis assez douée pour lire les cartes.

Le comte jeta un coup d'œil à la légende.

— Zéro. Tes petits rectangles noirs, ce sont les terrains de camping.

Il réexamina la carte et un sourire lui vint.

— Hé hé ! dit-il, posant un ongle jaune sur la petite tache de café. Voilà un bout de temps que je n'avais pas vu ce genre de choses.

— Quoi, ça ? s'écria Esmé. Une petite tache brune ? Tu en as vu une ce matin, celle que tu as faite sur ta chemise.

— Mais celle-ci est une tache codée, expliqua le comte, caressant son menton piquant. On m'avait appris à faire ça sur les cartes, quand j'étais gamin. Un truc pour marquer un lieu secret sans que personne ne le remarque.

— Personne, sauf un brillant génie. Autrement dit, si je comprends bien, cap sur le Sous-bois aux neuf percées à tout vent.

— S.N.P.V., pouffa le comte Olaf. Approprié. Bon, on y va. Rien d'autre ici qui puisse nous être utile ?

Les enfants jetèrent un regard bref à la table. La nappe noire était bien en place, les archives invisibles. Sous cette nappe à étoiles d'argent dormait la banque de données de Mme Lulu, celle qu'elle s'était constituée au fil des ans afin de donner à ses visiteurs ce qu'ils désiraient. Quelque part parmi ces papiers gisaient des secrets capitaux, et les enfants tremblaient à l'idée de voir Olaf mettre la main dessus.

— Non, articula Klaus. Rien d'utile. Pas que je voie, en tout cas.

Le comte fronça son sourcil unique et se pencha pour regarder Klaus dans les yeux. Même sans lunettes, Klaus pouvait voir que le comte n'avait pas fait sa toilette depuis un bout de temps – ni lavé ses dents, d'ailleurs, à en juger par son haleine.

— Et moi je dis que tu mens, gronda le malfrat, et il agita sa torche sous le nez du jeune Baudelaire.

— Ma deuxième tête dit la vérité, intervint Violette.

— Ah oui ? Et ces victuailles ? éclata le comte, désignant la boîte de vivres. Des provisions, vous ne croyez pas que ce serait utile pour un petit voyage ?

Les enfants respirèrent, soulagés.

— Grr, fit Prunille.

— Chabo vous félicite pour votre œil de lynx, assura Klaus. Et nous aussi. Nous n'avions pas remarqué cette boîte.

— Œil de lynx, oui. Et œil du maître, aussi, se gonfla d'orgueil Olaf. Une bonne vue et de bons petits neurones. C'est bien pourquoi je suis le patron.

Il éclata d'un rire sordide et plaça la torche dans la main de Klaus.

— Bien, et maintenant, vous autres, mettez le feu à cette tente ; et après ça vous apporterez cette boîte de bonnes choses à la voiture, là-bas, devant l'entrée du parc. Chabo, tu viens avec nous. Je suis sûr que tu as envie de grignoter un petit quelque chose.

— Grr, fit Prunille.

— Chabo aimerait mieux rester avec nous, traduisit Violette.

— Je me moque bien de ce qu'aimerait Chabo, siffla le comte, et il cueillit Prunille comme il l'eût fait d'un melon d'eau. Et maintenant, vous autres, exécution!

Sur ces mots, le comte et Esmé sortirent de la tente, laissant les aînés seuls, une torche à la main.

— Il vaudrait mieux commencer par sortir la boîte, dit Klaus, et mettre le feu à la tente du dehors. Sans ça, on risque de se faire encercler par les flammes.

— Parce que tu as l'intention d'exécuter les ordres ? dit Violette. Tu crois qu'il le faut vraiment ? Si ça se trouve, ces archives contiennent des réponses à toutes nos questions.

— Et que veux-tu faire d'autre ? Olaf met le feu au parc entier, on est bien obligés de le suivre. Il a Prunille, je te rappelle. Sans compter que c'est notre seule chance de gagner les monts Mainmorte. Tu n'as plus le temps d'inventer quoi que ce soit, je n'ai plus le temps de fouiner dans ces archives.

— On pourrait peut-être appeler à l'aide ? Les gens fuient le feu. Dans ces moments-là, tu sais, la solidarité joue à plein.

— Sauf que, pour le reste du monde, nous sommes soit des assassins, soit des monstres. Moi, quelquefois, j'ai l'impression d'être les deux.

— Mais si nous suivons Olaf, dit Violette, nous risquons de devenir encore pires.

— Et si nous ne le suivons pas, tu nous vois aller où, même si on lui reprend Prunille ?

— Je n'en sais rien. Je n'en sais absolument rien. Mais tu crois que se rallier à sa troupe, c'est bien agir ?

— C'est un peu marcher sur la tête, comme disait Olivia, reconnut Klaus. Mais, que veux-tu faire d'autre, dans un monde sans cervelle ?

Et tous deux, clopin-clopant, saisirent la boîte de provisions, Klaus se débrouillant pour ne pas lâcher la torche. Après quoi, pour la toute dernière fois, les deux enfants sortirent de la tente de voyance de Mme Lulu.

Dehors, ils eurent un choc. Le soleil semblait déjà couché, les ombres longues avaient disparu. Mais au lieu du bleu fabuleux des crépuscules de l'arrière-pays, le ciel était d'un gris sinistre.

L'odeur de l'air en disait long. Les enfants regardèrent autour d'eux. Esmé n'avait pas menti : d'un bout à l'autre de l'allée centrale, les tentes et les roulottes flambaient, couronnées de hautes flammes qui crachaient des tourbillons d'étincelles. Les derniers visiteurs du parc détalaient en direction du parking et, par-dessus le ronflement des moteurs, on entendait les lions hurler de terreur, tout là-bas, piégés au fond de leur fosse.

— Là, je trouve qu'ils en font trop ! hurlait un grand maigre, courant et toussant dans la fumée. Je n'appelle plus ça du spectacle !

— Moi non plus ! approuvait la journaliste du *Petit pointilleux*, qui trottait à ses côtés. D'après le comte Olaf, ce sont ces petits voyous de Baudelaire qui ont mis le feu. Je vois déjà la manchette : Les enfants Baudelaire s'enfoncent dans la grande criminalité !

— Des enfants ? C'est monstrueux ! Comment des...

Mais la voix d'Olaf couvrit la suite.

— Vous accélérez un peu, Beverly-et-Elliot ? Si vous n'activez pas le mouvement, on vous laisse en plan !

— Grrrrr ! hurla Prunille à pleins poumons.

Au cri de leur cadette, les deux aînés n'hésitèrent plus. Klaus jeta la torche enflammée sous la tente de Mme Lulu, et tous deux claudiquèrent vers Olaf sans un regard en arrière. Non qu'il y eût grand-chose à voir, la fumée se faisait trop épaisse. De toute manière, une tente en feu de plus ou de moins ne changeait rien à l'affaire. Mais, pour les deux enfants, il y avait une différence, et une différence de taille. Un peu de l'incendie était à présent de leur fait, expression signifiant ici : « causé par eux, signé de leur main, même si bien sûr le comte Olaf l'avait forcée, cette main ». Et ils n'étaient pas près de l'oublier.

Au détour de l'allée, à travers les spirales de fumée, ils virent la longue limousine noire et les silhouettes d'Olaf et sa bande qui achevaient d'embarquer. Féval, Otto et Bretzella étaient déjà tassés à l'arrière avec les deux dames poudrées. Esmé paradait à l'avant, Prunille sur ses genoux – ce qui est strictement interdit et contraire à la sécurité routière.

Derrière la voiture, dans l'alignement, était rangée la roulotte des monstres, telle une caravane de campeurs. L'homme aux crochets prit la boîte de vivres des mains de Klaus et Violette pour la jeter dans le coffre, et le comte Olaf, de la pointe de son fouet – curieusement raccourci – désigna la roulotte.

— Vous autres, dit-il, vous voyagez là-dedans. On va vous mettre en remorque et vous nous suivrez, tout confort.

— Euh, il n'y a pas de place dans la voiture ? demanda Violette, pas très rassurée.

— Vous plaisantez ? Serez bien mieux là-dedans ! ricana l'homme aux crochets. Z'avez vu comme on est tassés ? Encore heureux que Bretzella soit souple, on va la rouler en boule à nos pieds.

— Chabo a coupé mon fouet pour nous faire un câble de remorquage, reprit Olaf. Reste plus qu'à attacher cette roulotte avec un bon nœud coulant, et en route vers le couchant !

— Si vous permettez, dit Violette, je connais un nœud qui s'appelle langue-du-diable et qui est bien plus solide qu'un nœud coulant, à mon avis.

— Si vous permettez, dit Klaus, je crois que c'est vers l'est qu'il faut rouler – en tout cas, jusqu'à la Frappée. Donc, à mon avis, on devrait tourner le dos au couchant.

— Oui, oui, c'est ce que je voulais dire, mentit le comte. Et attachez cette roulotte vous-mêmes, si vous aimez mieux. Je démarre le moteur.

Il leur lança le bout de fouet.

— J'oubliais ! marmonna l'homme aux crochets, rouvrant le coffre pour en extraire les émetteurs-récepteurs portatifs que les enfants avaient naguère vus chez le comte. Prenez un de ces trucs-machins. Ça peut toujours servir, si jamais on avait besoin de vous dire des choses en cours de route.

— Et maintenant, houste ! aboya Olaf. Ou on va tous se faire enfumer !

Son compère et lui montèrent en voiture, Violette et Klaus se hâtèrent d'atteler la roulotte.

— Quand je pense que je fais ce nœud pour le bénéfice du comte Olaf ! maugréa Violette. C'est comme de donner un coup de main au diable en personne.

— On en est tous là, dit Klaus d'un ton sombre. Prunille a rongé ce fouet pour lui, et moi je le fais profiter de mon sens de l'orientation... Mais tu comprends, sans ça, va savoir où il allait nous perdre!

— Oui, se résigna Violette. Au moins, on va dans la bonne direction. Là où on voulait aller. Là où peut-être se trouve l'un de nos parents... Voilà, ça y est. Et c'est du solide, conclut-elle, serrant le nœud à mort. Et maintenant, vite, on embarque!

— J'aimerais mieux que Prunille soit avec nous, murmura Klaus.

— Moi aussi, mais elle n'est pas bien loin. Franchement, ça aurait pu être pire. Ce n'est pas ainsi que nous pensions aller dans les monts Mainmorte, mais nous y allons, c'est le principal.

— Espérons, dit sobrement Klaus.

Ils montèrent dans la roulotte et refermèrent la porte. Presque aussitôt, le plancher eut un hoquet sous leurs pieds; le départ était donné. Bientôt les hamacs se bercèrent en cadence, les vêtements dansèrent le tango sur leurs cintres. À l'intérieur de la roulotte, tout fut pris de tremblements, de frissons, de bougeotte, mais le nœud langue-du-diable tint bon et les deux véhicules eurent tôt fait d'émerger de la fumée. Un regard au-dehors rassura les enfants: ils roulaient dans la bonne direction, laissant derrière eux le couchant.

— On ferait mieux de s'installer confortablement, dit Violette. Le voyage va être long.

— Plusieurs heures, évalua Klaus. Je ne sais pas

si nous roulerons durant la nuit. J'espère qu'il y aura un arrêt casse-croûte et qu'ils partageront les vivres avec nous.

— On a de quoi se faire un chocolat chaud, rappela Violette. On pourra s'en faire un, si tu veux, tout à l'heure.

— Avec une pointe de cannelle, dit Klaus, et il sourit en songeant à leur petite sœur. Bon, et en attendant, qu'est-ce qu'on fait ?

Du geste, Violette convia son frère à s'asseoir avec elle à la table. Elle posa l'émetteur-récepteur portatif à côté des dominos et planta son coude unique sur la table, qui trépidait gaiement, comme tout le reste.

— Ce qu'on fait ? dit-elle enfin. Pour le moment, rien. On réfléchit.

Et les deux enfants réfléchirent, dans cette roulotte dansante que la limousine noire entraînait loin, très loin du brasier forain.

Violette essayait d'imaginer à quoi pouvait ressembler le quartier général de S.N.P.V., et elle espérait de toutes ses forces qu'un de leurs parents s'y trouvait. Klaus essayait d'imaginer de quoi pouvaient bien parler Olaf et sa bande, et il espérait de toutes ses forces que Prunille n'avait pas trop peur. Et tous deux repassaient dans leur tête le drame de la fosse aux lions, et se demandaient sans relâche s'ils avaient bien agi ou non.

Ils s'étaient déguisés en monstres pour chercher des réponses à leurs interrogations, et à présent, ces réponses s'envolaient en fumée avec les archives de Mme Lulu. Ils avaient encouragé leurs collègues à chercher un nouvel emploi, et ceux-ci s'étaient engagés dans la troupe infâme du comte Olaf. Ils avaient promis à Mme Lulu de l'emmener dans leur fuite afin de lui rendre un cœur noble, et Mme Lulu avait fini dans la gueule des lions.

En silence, ils réfléchissaient, et les mêmes doutes les assaillaient en même temps. Ils faisaient le compte de leurs misères – gros travail de récapitulation – et se demandaient si toutes étaient dues à la pure malchance ou s'ils étaient responsables de certaines d'entre elles.

Ce n'était pas là de douces rêveries et pourtant, par comparaison, c'était bon de réfléchir un peu, au lieu d'être sur le qui-vive, de se cacher, de mentir, ou d'improviser des plans d'urgence.

Oui, c'était bon et reposant de réfléchir tranquillement, au calme dans la roulotte, même si le plancher, la table et les chaises n'avaient plus rien d'horizontal, signe que le convoi venait d'atteindre les montagnes et s'attaquait à la grimpette. C'était si bon, si reposant que les deux enfants sursautèrent, comme au sortir d'un long sommeil, lorsque la voix du comte Olaf grinça dans l'émetteur-récepteur.

— Hé, monstre à deux têtes ! Tu es là ? Appuie
sur le bouton rouge et réponds !

Violette se frotta les yeux et appuya sur le
bouton rouge.

— Présent.

— Parfait, reprit le comte. Parce que, écoutez-
moi bien, les petites têtes, j'ai quelque chose à vous
dire : j'en ai appris une bien bonne, ce matin, en
consultant Mme Lulu.

— Ah ? Et quoi ? demanda Klaus.

Il y eut un bref silence, suivi de hoquets de
rire.

— J'ai appris... que vous êtes les enfants Baudelaire ! J'ai appris que vous m'avez suivi, petits scor-
pions, et que vous m'avez berné avec vos déguisements déloyaux. Oh ! mais je suis trop futé pour
vous.

Les hoquets de rire redoublèrent, mais par-
dessus ce rire de phoque les enfants perçurent autre
chose, un son qui les fit trembler plus fort que tout
le contenu de la roulotte. C'était Prunille, et elle
gémissait d'effroi.

— Défense de lui faire du mal, hein ! hurla
Violette. Défense de lui faire du mal ou sinon...

— Lui faire du mal ? ricana Olaf. Jamais de la
vie ! Pour toucher votre héritage, il me faut l'un de
vous bien vivant. Je vais commencer par veiller à
ce que vous soyez orphelins pour de bon, puis je

me servirai de Prunille pour devenir immensément riche ! Non, non, si j'étais vous, je ne m'inquiéterais pas le moins du monde pour cette mouflette à dents de rongeur. Si j'étais vous, je m'inquiéterais pour moi. Dites adieu à votre petite sœur, blancs-becs Baudelaire !

— Mais nous sommes arrimés à vous, rappela Klaus. Nous avons fait le nœud nous-mêmes.

— Jette un coup d'œil au carreau de la porte, moucheron, dit le comte Olaf.

Et il coupa la communication.

Violette et Klaus se levèrent, titubants. Ils gagnèrent la porte et écartèrent le rideau à la vitre. Le rideau s'ouvrit comme au théâtre, et si j'étais vous je me dirais : « Bah ! c'est du théâtre – peut-être une tragédie signée de sir Shakespeare. Je peux quitter la salle à tout moment et rentrer droit à la maison pour passer à quelque chose de plus drôle. »

Oui, si j'étais vous, c'est ce que je ferais, parce que... Vous souvenez-vous de cette expression dont j'avais dit qu'elle reviendrait trois fois avant la fin de ce récit ? Eh bien, la troisième fois se trouve au treizième chapitre, tout proche. C'est un chapitre très bref, car le présent épisode prit fin si brusquement qu'il sera vite raconté. Mais il n'en contient pas moins ces mots, « le fond du gouffre », et vous feriez mieux de quitter la salle avant le début de l'acte XIII, parce que la fois ci-dessus non plus ne comptait pas.

CHAPITRE
XIII

Violette et Klaus mirent le nez à la fenêtre – et ce qu'ils virent leur coupa le souffle. Devant eux, la longue auto noire du comte Olaf dévorait vaillamment les lacets montant à l'assaut des monts Mainmorte, le câble de remorquage tendu derrière elle. Prunille restait invisible, bien sûr, coincée à l'avant avec Olaf et Esmé, mais ils devinaient sans peine sa terreur. Autre chose, en revanche, était parfaitement visible, et cette autre chose – impensable – les glaça de terreur à leur tour.

Penché à la vitre arrière de la voiture, dans le grand manteau offert par Esmé, Féval tenait Bretzella par les chevilles. Bretzella, plaquée contre la carrosserie, se contorsionnait savamment sur le coffre, et elle aussi tenait quelqu'un par les chevilles : Otto, qui tenait à deux mains, à l'autre bout de cette chaîne humaine, un long coutelas ébréché.

Otto leva les yeux vers Violette et Klaus, il les salua d'une grimace et, de toutes ses forces, il abattit la lame sur le nœud que Violette avait si bien serré.

Le nœud langue-du-diable est un nœud hautement résistant. En temps ordinaire, même un bon couteau peine à en venir à bout. Mais Otto était ambidextre. Ses deux bras d'égale force transmirent à ce couteau une énergie décuplée. D'un seul coup, d'un seul, le nœud fut tranché.

— Oh nooon ! hurla Violette.

— Pruniiille ! hurla Klaus.

L'attelage dénoué, les deux véhicules optèrent pour des directions opposées. La limousine du comte Olaf poursuivit sa grimpée, guillerette ; la roulotte désemparée hésita, puis repartit vers le bas, à reculons, aussi résolument qu'un pamplemousse lâché du haut d'un escalier.

De l'intérieur, Violette et Klaus n'avaient aucun moyen de diriger ni de freiner le véhicule en roue libre. À nouveau, les enfants hurlèrent – ils hurlèrent tous trois, Klaus et Violette à bord de la roulotte en folie, Prunille dans l'auto noire bondée de scélérats. Peine perdue : le destin les séparait à une vitesse accélérée.

Mais la distance avait beau croître entre la cadette et ses aînés, les enfants Baudelaire, à leur façon, en étaient tous trois au même point : au bord du ravin et, dans leur cœur, au fond du gouffre.

LEMONY SNICKET est universellement reconnu comme l'un des auteurs pour la jeunesse les plus difficiles à arrêter et à jeter en prison. Tout récemment, il a dû renoncer à l'un de ses violons d'Ingres en raison de lois concernant la pratique de la musique en zone montagneuse.

BRETT HELQUIST est né à Gonado, Arizona, il a grandi à Orem, Utah, et vit aujourd'hui à New York où il s'efforce, entre autres nobles activités, de traduire les obscures découvertes de M. Snicket en images, montrant toute l'horreur de la malédiction Baudelaire.

ROSE-MARIE VASSALLO ne s'attendait guère, en adoptant le trio Baudelaire (traduire est une forme d'adoption), à tant de chausse-trappes littéraires, d'anagrammes en acrostiches et autres messages cryptiques. Et qui sait ce que lui réserve la suite – logogriphe, palindrome ou charade à tiroirs?

✣ Cher lecteur ✣

Si tu n'as pas eu ton compte de malheurs en lisant ce livre, tu peux te procurer le prochain épisode chez ton infortuné libraire. Il te le vendra peut-être, bien malgré lui, à condition que tu insistes longuement. En effet, le sort ne cesse de s'acharner sur les pauvres orphelins Baudelaire, et c'est bien à regret que nous t'indiquons les titres qui relatent leurs malheurs en série :

Enfin, si Violette, Klaus et Prunelle survivent d'ici là, le mois de février 2006 verra également la sortie du dixième tome de leurs aventures…

Mais il est encore temps, cher lecteur, de te tourner vers des lectures plus riantes, comme te le recommandera certainement, pour ton bien, ton libraire préféré…

Bien cher diteur

J'esp re que vous pour ez déchiffrer cec .
Il gèle si dur, ici, que par moments l'encr
du ruban de ma mach   .
Ici, dans le Sous-bois aux neuf
                                  ,la
glacée a   et
les effets sont absolumen   .
Mes ennemis étant sur mes talons, il serait
trop risqu de placer la totalit de mon manusc ,
intitul   ,
en un seul endro   me semble plus sage de
dépos   es treize chapit   en treize lieux diff rents.

                          "le monde est
elle vous donnera une clé, qui

                          Le premier chapitre,
ainsi qu'une photographie, très rare, d'un essaim
d'
            afin d'aider M. Helquist   llustrer
ce récit.
EN AUCUN CAS VOUS NE DEVREZ

                    trice

Ne l'oubliez p ,   seul espoir.
Sans vous,

A ec   i en   eu ,
L m ny   ck t